Da autora best-seller de P.S. Eu te amo e Simplesmente Acontece.

A PARTE MODIFICADA DO SEU MUNDO NUNCA MAIS SERÁ A MESMA

Celestine North vive em uma sociedade que rejeita a imperfeição. Aqueles que praticam algum ato julgado como errado são marcados para sempre, excluídos da comunidade, seres não merecedores de compaixão. Por isso, Celestine procura viver uma vida perfeita. É um exemplo de filha e de irmã, uma aluna excepcional, adorada por todos do colégio, além do mais, ela namora Art Crevan, filho da autoridade máxima da cidade. Em meio a essa vida perfeita, Celestine se encontra em uma situação incomum, que a faz tomar uma decisão instintiva. Ela faz uma escolha que pode mudar o futuro dela e das pessoas a seu redor. Ela pode ser presa? Pode ser marcada? Poderá tornar-se, do dia para a noite, Imperfeita?

Nesta distopia deslumbrante, Cecelia Ahern retrata uma sociedade em que a perfeição é primordial, e quem cometer qualquer ato falho será punido.

CECELIA AHERN

é irlandesa e formou-se em Jornalismo e Meios de Comunicação. Aos 21 anos escreveu seu primeiro romance, *P.S. Eu te amo*, que se tornou best-seller imediatamente e foi adaptado para o cinema — assim como *Simplesmente acontece*. *O ano em que te conheci*, *Como se apaixonar*, *A lista*, *O presente*, *O livro do amanhã* e *A vez da minha vida* também são best-sellers em todo o mundo. As obras de Cecelia são publicadas em 46 países e já venderam, ao todo, mais de 13 milhões de cópias. Ela vive em Dublin com sua família.

SHANE HEGARTY

DARKMOUTH

Tradução:
Bárbara Menezes de Azevedo Belamoglie

Ilustrações:
James de la Rue

#irado

Publicado originalmente no Reino Unido por HarperCollins Children's Book, em 2015. HarperCollins Children's Book é uma divisão de HaperCollins-Publishers Ltd. (1 London Bridge Street, London, SE1 9GF)

1ª Impressão — 2016
Impressão e Acabamento RR Donnelley 081216

Produção editorial:
Equipe Novo Conceito

Dados Internacionais de Catalogação na Publicação (CIP)
(Câmara Brasileira do Livro, SP, Brasil)

Hegarty, Shane
Darkmouth / Shane Hegarty ; tradução Bárbara Menezes de Azevedo Belamoglie.
-- Ribeirão Preto, SP : Novo Conceito Editora, 2017.

Título original: Darkmouth.
ISBN 978-85-8163-677-1

1. Ficção irlandesa I. Título.

14-10795 CDD-ir823.9

Índice para catálogo sistemático:
1. Ficção : Literatura irlandesa ir823.9

#irado
Rua Dr. Hugo Fortes, 1885
Parque Industrial Lagoinha
14095-260 – Ribeirão Preto – SP
www.grupoeditorialnovoconceito.com.br

Para Maeve, que tornou a aventura possível.

DARK
SORVETERIA
CONSULTÓRIO DENTÁRIO
PRAIA ROCKY
LOJA DO SR. GLAD
ESCOLA
Bem-vindos a Darkmuth

OUTH
POLEIRO DA PERDIÇÃO
CASA DO FINN
CASA DA EMMIE

I

A cidadezinha de Darkmouth aparece em poucos mapas porque pouquíssimas pessoas querem encontrá-la. E, quando aparece em um, sua localização está sempre errada. Está um pouco ao norte de onde deveria, ou um pouco ao sul. Um pouquinho para a esquerda ou um pouquinho para a direita. Um pouco fora do lugar.

Sempre.

O que significa que os visitantes invariavelmente chegam a Darkmouth porque pegaram uma curva errada, crentes de que estão se encaminhando para lugar nenhum. Eles dirigem pelo dossel de árvores, cujos galhos se estendem de cada lado até se engancharem ainda mais emaranhados no alto, ficando mais fechados a cada quilômetro, até se estrangularem os últimos salpicos de luz e a estrada ficar escura, mesmo nos dias mais ensolarados.

Depois, bem quando a vegetação está quase arranhando a pintura do seu carro, e parece que a estrada em si será sufocada, os visitantes atravessam um túnel curto e emergem para uma rotatória cheia de flores desabrochando e ostentando uma placa que diz:

Em um muro que ladeia a estrada, há um grafite grande e impressionante. Ele diz apenas isto:

Porém, o último "s" forma uma serpente, com a boca escancarada e os dentes serrilhados. Os visitantes a espiam e se perguntam se é uma… Poderia ser?... Sim, aquela cobra realmente *está* engolindo uma criança.

Os viajantes — que a esta altura do campeonato já estão um pouco desesperados — enfim chegam a Darkmouth. Seu próximo pensamento é este: "Vamos dar o fora daqui".

Assim, eles acompanham a rotatória e retornam pelo caminho de onde vieram. O que é uma pena, porque, se tivessem ficado, teriam percebido que Darkmouth é, na verdade, um lugarzinho bem legal. Tem uma pequena e colorida sorveteria na enseada, bancos espalhados ao longo da praia, mesas de piquenique e divertidos brinquedos de escalada para as crianças.

E ninguém é comido por um monstro há algum tempo.

Na verdade, não são monstros, não mesmo. Eles podem *parecer* monstruosos. Os moradores locais podem se referir a eles como monstros. Mas, nas palavras certas, eles são Lendas. Mitos. Fábulas.

Eles chegaram a compartilhar a Terra com os humanos, mas acabaram por se tornar invejosos demais, violentos, até que uma guerra eclodiu sobre as Vilas Flageladas e se arrastou por séculos.

Darkmouth é a última das Vilas Flageladas. E as Lendas reaparecem de vez em quando.

Acontece que esta manhã é uma dessas ocasiões.

2

Ao relembrar toda a história, Finn identificou aquela manhã como o momento em que as coisas começaram a dar muito errado.

Ao pensar mais um pouco a respeito, ele percebeu que podia identificar quase todas as manhãs dos seus doze anos de vida como o momento em que as coisas começaram a dar errado. No entanto, naquela época, ele não estava pensando muito. Em vez disso, estava correndo. O mais rápido que podia. Usando uma armadura barulhenta e um capacete pesado. Na chuva. Fugindo de um Minotauro.

Cinco minutos antes, tudo *parecera* estar um pouco mais de acordo com o plano, embora Finn não estivesse completamente certo de que plano era aquele.

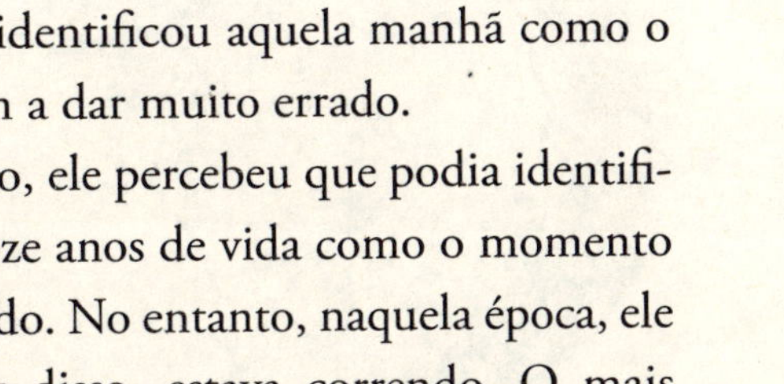

Antes, era Finn quem caçava, carregando um Dissecador, um fuzil gordo e prateado com um cilindro pendurado em frente ao gatilho. Ele era o Caçador, arrastando-se pelo labirinto das ruas vicinais de Darkmouth com um capacete preto e um traje de luta: quadrados de metal pequenos e sem brilho, unidos por uma costura desajeitada de forma que, quando ele se mexia, fazia o som de uma sacola de garfos caindo pela escada.

Era grande demais porque seus pais haviam dito que ele devia deixar espaço para quando crescesse. E chacoalhava porque ele mesmo o fizera.

De algum lugar não muito longe, a umas duas travessas de distância, ele ouvira o som de vidro sendo quebrado contra pedra, ou talvez pedra sendo batida sobre vidro. De qualquer maneira, em seguida vieram o grito do alarme de um carro e o berro ainda mais alto de uma pessoa.

Darkmouth era uma cidade de becos sem saída, com muros altos revestidos de cacos de vidro, pedras afiadas e lanças. Ela foi projetada para confundir as Lendas e bloquear o seu avanço, forçando-as a se dirigir para becos sem saída. Mas Finn sabia para onde ir.

Ele seguiu o rastro poeirento da Lenda e chegou à Rua Quebrada, principal rua de Darkmouth, onde veículos haviam freado em ângulos errados, cantando pneu, e os moradores da cidade que não tinham saído correndo estavam encolhidos na entrada de lojas ainda fechadas.

E lá em cima, no fim da rua, olhando por cima do ombro, estava o Minotauro. Era metade homem, metade touro, cem por cento aterrorizante. O coração de Finn falhou uma batida e martelou três seguidas. Ele respirou fundo. Estava trêmulo.

Tinha passado a infância inteira vendo desenhos desse tipo de criatura, que sempre foi retratada como uma Lenda poderosa, quase nobre. Ao encarar uma delas em carne e osso, Finn percebeu que os desenhistas tinham captado perfeitamente a sua força, mas não fizeram jus à sua fúria.

A junção dos chifres salientes e curvados com a imensa cabeça de touro era coberta com o pelo sarnento de um vira-lata. Quando ele olhou para trás, a baba escorreu de seus dentes enormes e contornou os músculos saltados ao longo de suas costas, passando por sua cintura até cair sobre crostas de pele parecidas com argila seca. Ele se erguia sobre duas pernas que se afunilavam até se tornar garras ameaçadoras no lugar onde deveriam estar os cascos.

O Minotauro era pior do que Finn poderia ter imaginado. E olha que ele tinha imaginado que seria muito assustador.

E estava olhando diretamente para Finn.

O garoto se abaixou no recuo de uma porta. Uma mulher já estava escondida ali, as costas apertadas contra a porta, um cachorro puxado próximo a ela. Seu rosto estava rígido de tanto medo.

— Não se preocupe, Sra. Bright — disse Finn a ela, a voz abafada pelo capacete. — Você e o Yappy logo vão estar em segurança, não é mesmo, menino?

Com a mão que estava livre, ele fez carinho no cachorro. O cachorro espirrou nele.

A mulher fez que sim com a cabeça, com uma gratidão nada convincente, e, depois, parou.

— Onde está o seu pai, meu jovem? Ele não deveria...

Houve o barulho de algo se quebrando mais adiante na rua. O Minotauro tinha desaparecido ao virar a esquina da Rua Quebrada. Finn respirou fundo mais uma vez e seguiu em frente atrás dele.

Do outro lado do muro veio um estrondo tão potente que mandou um tremor dos pés de Finn até seu cérebro, que o entendeu como um sinal para correr gritando na direção oposta.

For one night ONLY
Daniel

Entretanto, Finn não correu. Ele havia treinado para isso. Nascera para isso. Sabia o que se esperava dele, o que precisava fazer. Além disso, se corresse agora, seu pai ficaria muito decepcionado com ele. De novo.

Estarei ao seu lado quando você precisar de mim, dissera-lhe o pai de Finn nesta manhã.

Ele apertou um botão do rádio na lateral do capacete e sussurrou:

— Pai? Você está aí?

A única resposta foi o estalo insensível da estática.

Uma forma escura, desajeitada e enorme andou a passos largos em uma viela que cruzava com aquela onde o menino estava, avançando depressa ao longo dos seus muros estreitos. Finn ergueu seu Dissecador e a seguiu. Na esquina, agachou-se e espiou. O Minotauro tinha parado a não mais de vinte metros de distância. Seus grandes ombros arfavam com fôlegos nervosos e rosnados enquanto pensava para que lado iria em seguida.

Tudo estava nas mãos de Finn agora. Ele se lembrou do seu treinamento. Concentrou-se no que aprendera. Pensou nas palavras de especialista do pai. Com cuidado, mirou sua arma prateada e compacta, equilibrou-se, expirou.

Nesse exato momento, o Minotauro virou-se para olhá-lo; seus olhos eram como piscinas negras cavadas abaixo de chifres cheios de cicatrizes. Ele espumava através das presas lascadas e irregulares. Por um segundo, Finn distraiu-se com a maneira como a baba, o sangue e a garoa se prendiam a um anel de cristal atravessado no nariz da Lenda.

O Minotauro urrou. Finn apertou o gatilho.

A força do tiro levou Finn a tropeçar para trás. Uma bola azul brilhante saiu girando do Dissecador, abrindo-se em uma rede cintilante conforme avançava na direção de onde o Minotauro estivera um instante antes... e batia contra um carro estacionado, envolvendo-o.

Finn gemeu.

Com um flash e um *uuup* abafado, o carro desmontou sobre si mesmo com o rangido angustiante de uma tonelada de metal sendo sugada e reduzida a um formato não muito maior que uma lata de refrigerante.

Finn procurou o Minotauro. Ele se fora.

O menino apertou seu sintonizador de rádio.

— Ahn, pai?...

Ainda nada.

Ele parou, acalmou sua mente inquieta o máximo que pôde, andou de novo pelas vielas. Usando os métodos antiquíssimos que lhe haviam ensinado, começou a rastrear o Minotauro cuidadosamente.

Ele não precisava ter se dado ao trabalho. O Minotauro chegou até ele primeiro.

3

Naturalmente, Finn fugiu.

Enquanto fugia, vários pensamentos passaram pela sua cabeça, a maioria relacionada a se deveria se virar e atirar, ou encontrar um esconderijo, ou se teria tempo para parar e jogar de lado sua armadura barulhenta.

De sua parte, enquanto o seguia, o Minotauro tinha apenas uma ideia na cabeça. Para Finn, o melhor era não saber quantas vezes a palavra "golpear" aparecia nela.

Finn correu pela ruela o mais rápido que seu traje de luta chacoalhante permitia, a respiração quente dentro do capacete, a arma balançando em uma tira em volta do pulso dele. Viu uma abertura e se virou para entrar nela pouco antes de o Minotauro alcançá-lo. A criatura foi direto contra a parede, vomitando uma nuvem de tijolos, poeira e baba.

Finn continuou avançando, correndo por vielas, tropeçando ao virar esquinas, apertando-se em passagens estreitas, até, aos poucos, perceber gradualmente que o único som que conseguia ouvir mais alto que o barulho da armadura era o da própria respiração ofegante.

Com algum esforço, persuadiu suas pernas a pararem de correr.

Ele se agachou em um canto e procurou ao redor por algum sinal do Minotauro. Não havia nenhum. Escorregou para o chão, sentindo os riachos de suor descerem por suas bochechas, a coceira da armadura e as pancadas no peito.

Houve um farfalhar perto dele. O bruxulear brevíssimo de uma sombra.

— Pai?

O Minotauro atravessou um muro em frente a Finn, caindo na viela com uma força assombrosa, seus chifres se espatifando e soltando faíscas ao se atritar com o concreto, antes de se endireitar e se agigantar em frente a ele. Finn ergueu o seu Dissecador, mas o Minotauro estendeu um braço enorme e o golpeou para longe das mãos dele.

Emparedado no muro, Finn conseguia sentir o amargor mortal do hálito do Minotauro e ver a escuridão profunda de sua boca. Ele ficou pasmo por um momento com o brilho de um grande anel de diamante alojado dentro do nariz da Lenda.

Finn tentou pensar em uma forma de escapar, um movimento de luta que o pai lhe ensinara, um plano, uma rota de fuga, qualquer coisa que não fosse simplesmente se entregar à ideia inevitável e persistente de que ele estava prestes a morrer.

Conforme se preparava para atacar, o Minotauro ainda tinha apenas uma ideia na cabeça, embora tivesse evoluído para incluir o uso repetido da palavra “mutilar”.

Se aquela Lenda tivesse sido um pouco menos teimosa, no entanto, poderia ter percebido que o curto espaço de tempo que ela levou para se lançar à matança foi mais do que suficiente para uma sombra passar acima dela e do menino; para aquela sombra ficar maior, mais escura; ficar sólida conforme pulava nos ombros enormes da criatura e pousava atrás dela.

O Minotauro se virou. A armadura daquele novo humano cintilou; era difícil focar o olhar. Ele parecia estar ali e, ainda assim, não estar. A criatura carregava uma arma parecida com a do menino, mas maior. E o Minotauro soube no mesmo instante quem ele agora encarava.

Aquele não era *um* Caçador de Lendas. Era *o* Caçador de Lendas.

O Minotauro mal havia se movido um centímetro para atacar antes de ser atingido pela rede brilhante da arma do Caçador de Lendas. Por um brevíssimo momento, ficou paralisado em uma teia de azul cintilante que o envolvia por completo. Depois, com um *uuup* abafado, o Minotauro implodiu. Tudo o que restou foi uma esfera sólida e peluda que não era maior do que uma bola de tênis.

O Caçador de Lendas permaneceu firme, um fino sopro de fumaça azul subindo do cano da sua arma.

— Coloquei a carroça na frente do boi — disse ele, abrindo seu visor para revelar um rosto tão sólido quanto o capacete e um óbvio sorriso por causa de sua piada.

Finn ergueu-se do chão.

E lançou-lhe um olhar penetrante.

— Onde você *estava*, pai?

4

Como outras Vilas Flageladas em todo o mundo — com nomes como Fimdomundo, Portãodoinferno, Pedradessangue, Levilatã, Rotado-assassinato e Massacre —, Darkmouth tinha sido o lar de gerações de Caçadores de Lendas, famílias que juraram proteger o mundo contra os ataques incessantes vindos do que eles chamavam de o Lado Infestado.

No entanto, os ataques tiveram fim.

A maior parte deles.

Cada ano trazia menos relatos de humanos capturados ou mortos por Lendas — e de Lendas capturadas ou mortas por Caçadores de Lendas.

Em uma Vila Flagelada após a outra, os ataques foram acabando aos poucos. Pela primeira vez em milhares de anos, nosso mundo parecia isolado do reino das Lendas. Depois de muitas gerações de guerra, os Caçadores de Lendas podiam se aposentar.

Exceto por uma vila. Uma família.

— Você mandou bem — disse o pai de Finn, tranquilo. — Eu lhe dei cobertura o tempo todo.

— Aquela coisa quase me matou.

— Você sabe que eu nunca deixaria isso acontecer.

— Não foi o que pareceu.

— Olhe, Finn, não seja tão duro consigo mesmo. Você se saiu bem. Um pouco sem firmeza em alguns momentos, talvez, mas você não estava perseguindo uma galinha, afinal. E não seja tão amargo. A maioria dos meninos de doze anos morreria por uma chance de sair caçando Lendas.

— Morreria? — disse Finn.

— Você sabe o que eu quero dizer.

O pai de Finn manteve o olhar por mais um momento antes de dar um soco carinhoso no braço do filho e pegar os restos dissecados do Minotauro.

Exausto, Finn desprendeu o recipiente do cinto e digitou um código no teclado da lateral. A tampa abriu com um silvo, liberando uma pequena nuvem de gás azul e um aroma leve de suco de laranja. Seu pai colocou o objeto redondo no recipiente e apertou a tampa para fechar.

— Ele vai rolar de rir aí dentro — disse.

Finn fez que não com a cabeça em um leve desdém.

— Ah, como quiser — disse o pai, enquanto pegava o recipiente e começava a sair do beco. — Tire esse traje e eu levo você para a escola.

— Escola? Sério? Como é que eu vou para a escola depois disso? Eu não vou. Simplesmente não vou.

Mas seu pai não parou, então Finn relutantemente pegou seu Dissecador e começou a segui-lo. Um cintilar de luz nos escombros do muro chamou sua atenção, uma curva de cristal caída ali onde o Minotauro fora dissecado. Parecia ser o diamante que estava fincado no nariz da criatura.

Bizarro.

Finn a pegou e examinou a beleza da sua superfície irregular. Ele começou a chamar o pai, mas se obrigou a parar. Se ele estava sendo forçado a ir à escola depois de tudo isso, iria querer uma recompensa.

Deslizou o diamante para dentro do bolso antes de seguir em uma corridinha desengonçada, a armadura fazendo barulho pelo caminho todo.

Eles seguiram dirigindo por Darkmouth. O carro era um grande bloco preto de metal sobre rodas; os assentos tinham sido arrancados para dar lugar a fileiras de armas e ferramentas de vários formatos e tamanhos e graus de afiação.

Havia poucas pessoas nas ruas agora, embora tivessem a cabeça enterrada em capuz, o rosto voltado para as calçadas, protegendo-se da garoa, parecendo que o último lugar na Terra onde elas queriam estar era o último lugar na Terra que as Lendas queriam invadir. O fato de as Lendas sempre trazerem a chuva consigo não ajudava muito.

— É sempre a mesma coisa quando um portal é aberto — o pai de Finn observou. — Pelo menos, um portal pequeno significa apenas uma chuva fraca. Houve uma época em que portais maiores trouxeram tempestades terríveis. As histórias antigas culpavam os deuses por elas. Até parece, né?

Finn não respondeu. Seu pai soltou um "tsc-tsc". O carro balançou para a direita.

Antes de pular para o banco do passageiro, Finn jogara sua armadura na parte de trás do veículo. No colo tinha a mochila da escola e seu Dissecador. Ele segurou o recipiente em frente ao rosto e o chacoalhou.

— Isso sempre me impressiona, esse truque — disse o pai.

Finn sentiu um lampejo de compaixão pela criatura presa ali. Pelo lado de fora, a única evidência de que uma vítima da teia do Dissecador fora um dia algo vivo era a maneira como o exterior da bola ficava revestido do que quer que envolvesse a criatura no seu estado original: pelo, escamas, pele, calça de couro.

— Não parece um pouco cruel fazer isso com eles, pai?

— Talvez você prefira fazer cócegas no próximo Minotauro até ele se render. Ou lhe dar carinho e oferecer um biscoito. Não diga bobagem, Finn.

Ele olhou para o filho e percebeu sua carranca:

— Certo, então as coisas não foram muito perfeitas esta manhã.

— Nem na última vez — disse Finn, fazendo careta.

— Sim, mas…

— Ou na vez antes dela.

— O que eu quero *dizer*, Finn, é que você está aprendendo — disse o pai. — Foi assim quando eu tinha a sua idade. Eu já contei para você sobre a vez em que eu...?

— Sim — respondeu Finn com um suspiro.

— E aquele dia em que eu...?

— Esse também. Eu *só* escuto falar sobre as coisas incríveis que você fez quando tinha a minha idade. Você derrotou tal Lenda. Você inventou tal arma. A menos que tenha uma história que termine com você caindo em uma privada ou algo assim, elas não vão fazer com que eu me sinta melhor agora.

O carro parou na frente da escola. Finn não se mexeu.

Seu pai se contorceu um pouco, a armadura do seu traje de luta rangendo no assento do veículo.

— Nem tudo é ruim... — ele começou a dizer.

— Como isto pode não ser ruim? — interrompeu Finn com desânimo na voz. — Minha Cerimônia de Conclusão será daqui a apenas um ano, pai.

— Quando você completou doze anos?

— Há duas semanas.

— Então, a cerimônia será daqui a onze meses e meio, para ser preciso, mas ainda assim é tempo o bastante.

— O que foi que você não viu do que aconteceu esta manhã? — perguntou Finn, fazendo que não com a cabeça, sem acreditar.

— Finn, nossa família vem defendendo Darkmouth há quarenta e duas gerações.

— Bem, eu não.

— Mas você vai — afirmou o pai. — Você será a geração número quarenta e três.

— Não vou estar pronto.

— Darkmouth será sua responsabilidade.

— Não pode ser. — protestou Finn.

— *Tem* que ser.

O pai deixou um momento de silêncio se acomodar dentro do carro antes de continuar.

— De qualquer maneira, o Conselho dos Doze tem mantido contato — disse o pai de Finn. — Eles têm boas notícias.

— Tem a ver comigo? — perguntou Finn.

— Não. Bem, sim. Mais ou menos.

Seu pai fez uma pausa.

— Os Doze me ofereceram uma vaga no conselho. Quarenta e duas gerações, Finn, e ninguém da nossa família nunca havia sido convidado para se tornar um dos líderes dos Caçadores de Lendas do mundo. É claro que a maioria dos Caçadores de Lendas está, neste exato momento, sentada em casa engordando, mas, ainda assim, é algo muito importante para nós, uma grande honra e…

— Espere aí — disse Finn. — Você vai fazer parte do Conselho dos Doze?

— Sim, não é excelente?

— Eles não ficam em...?

— Liechtenstein. Lugar pequeno com montanhas grandes.

— Então, você vai sair de Darkmouth? — perguntou Finn.

— Sim — disse seu pai. — Às vezes.

— E eu?

— Não.

— Ah, ótimo — disse Finn, sentindo um grande peso recair sobre seus ombros. — Você estará longe e a proteção de Darkmouth vai ser responsabilidade…

— Sua. Exatamente. Não vai ser incrível?

Finn o encarou enquanto seu cérebro tentava processar essa ideia.

— Isso não muda nada, Finn — disse o pai. — Não muito, de qualquer forma. Você está prestes a se tornar o primeiro Caçador de Lendas de verdade a se formar em anos. Darkmouth seria sua responsabilidade de qualquer jeito em algum momento depois disso. E eu não vou embora imediatamente. Os Doze dizem que haverá um processo, algumas verificações.

— Que tipo de verificação?

Seu pai encolheu os ombros.

— Não sei. Coisas dos antecedentes, sujeitas à confirmação da regra 31, cláusula 14 do sei lá o quê. Você sabe, papelada. Os Doze adoram uma papelada. Enfim, vai acontecer.

Ele limpou a garganta.

— Assim que você estiver Concluído.

— E se eu não estiver pronto?

Com um chiado do seu traje de luta atritando no assento de couro do carro da família, o pai se voltou para olhar o menino diretamente.

— Finn, todos os Caçadores de Lendas desta família fizeram sua Conclusão no aniversário de treze anos. Todos eles, desde que existem registros. Eles poderiam ter esperado até terem quinze ou dezessete ou até dezenove anos, como as famílias mais fracas, mas não esperavam. Por isso, nossa família... passado, presente e futuro... precisa que você esteja pronto. Eu preciso que você esteja pronto. Esta cidade precisa que você esteja pronto. E você *estará* pronto.

Finn abriu a porta do carro e saiu.

— Eu me sinto muito melhor. Obrigado, pai.

Enquanto fechava a porta, Finn viu seu reflexo na janela. O cabelo estava molhado, a pele estava corada. Ele abriu a boca para protestar de novo contra ter que ir à escola, mas seu pai o interrompeu:

— Vamos falar sobre isso depois.

Finn ficou parado no meio-fio, a mochila jogada sobre o ombro, ouvindo o ronco baixo do carro conforme ele desaparecia. A garoa fazia cócegas na sua testa.

No bolso, ele sentiu o zumbido do telefone. Havia uma mensagem da sua mãe.

RESPIRE FUNDO. EU TE AMO.

Ele respirou fundo e, depois, mais uma vez, preparando-se para o próximo desafio.

Escola.

5

Finn estava atrasado. Ele sabia que todos sabiam por quê.

Conforme percorria os corredores com passos pesados e lentos, Finn sentiu uma agitação crescer em cada classe por onde passava, aulas parando para professores e alunos poderem observá-lo.

— Foi um grandão hoje? — uma voz o chamou pelo corredor.

— Alguma chance de você ter se livrado de todos eles desta vez, Finn? — perguntou outra.

Ele ignorou tudo isso até chegar à própria classe, onde foi recebido por uma onda de animação ao entrar. Ele balbuciou uma desculpa para a Sra. McDaid pelo atraso e pegou o último lugar disponível. Infelizmente, era entre Conn e Manus Savage, gêmeos idênticos a não ser por uma orelha mastigada em Conn, a qual ele sempre alegava ter sido o resultado de uma luta com um dobermann. Ele também alegava que o cão havia perdido.

Finn ziguezagueou até o assento entre eles, as pernas de metal arranhando o chão com barulho.

Os gêmeos pareceram um pouco confusos por um momento conforme perceberam o fedor forte de suor.

— Ei, menino-monstro — sussurrou Conn, pelo canto da boca —, você se esqueceu de trocar a fraldinha hoje.

— Senhorita? — disse Manus para a professora. — Podemos abrir uma janela?

— É melhor abrir duas — sugeriu o irmão.

Normalmente Finn não teria se incomodado muito com os dois. Ele sabia qual era o seu lugar. Enquanto um Caçador de Lendas está sendo treinado, não pode mesmo fazer amigos. Ele praticava com seu pai. Ele estudava. Comia. Dormia. Não tinha festas de aniversário nem dormia na casa dos outros. Não recebia visita de outras crianças. Não tinha chance de responder às perguntas constrangedoras delas sobre, digamos, aquele cão de três cabeças que seu pai acabara de levar para casa. Ele nunca conseguia dizer, de um jeito casual, como se não fosse nada: "Ah, ignorem o Cérbero. O latido dele assusta mais que a mordida". Os pais de Darkmouth, compreensivelmente, não gostavam da ideia de deixar seus preciosos filhos andarem perto de uma casa como a de Finn.

Sua família estava na cidade havia quarenta e duas gerações, mas Finn sempre seria um intruso. Sempre haveria sussurros por trás dele. Questões com um toque de ressentimento. Rumores. Por que Darkmouth era a única Vila Flagelada que ainda enfrentava ataques de Lendas? Por que não se esforçavam mais para detê-las?

Ele se desligava daquilo o máximo que conseguia, mas era difícil quando os comentários chegavam a ele em som estéreo.

— O que você fez para assustar e afastar o monstro hoje? — murmurou Conn. — Soltou seu hálito nele?

— Se você simplesmente acenasse com as suas meias para eles, talvez enfim se livrasse de todos — acrescentou Manus.

Finn começou a se irritar. Uma coisa era ele ser diferente por conta de quem era — isso fazia parte da sua vida, algo com que aprendera a conviver. Outra coisa era ser excluído depois de tentar proteger aquelas pessoas do medo de serem espancadas por uma criatura mítica.

Mas ele não disse nada. Os gêmeos Savage eram mais intimidadores do que certas Lendas. Ele fez, porém, uma anotação mental para guardar desodorante e sabonete na mochila dali em diante.

A Sra. McDaid voltara a dar aula e a maior parte da classe estava prestando atenção nela de novo. Finn reparou que havia uma menina nova, sentada no fundo e com o olhar fixo nele através de uma cortina de cabelos bem vermelhos.

Uma menina nova? Mas nunca havia gente nova. Ou você nascia ali ou visitava o lugar por engano e nunca voltava. Ninguém *se mudava* para Darkmouth. Nunca.

Mesmo assim, ela estava lá.

Por detrás da franja, a menina nova deu a Finn a mais leve insinuação de um sorriso. Finn desviou os olhos. Quando olhou de novo, ela estava focada na professora.

Conn inclinou-se para perto dele.

— Já gostou da menina nova? — sussurrou ele.

— Nunca se sabe — acrescentou Manus na outra orelha de Finn. — De repente ela gosta de *Eau* de Sovaco.

Finn imaginou os gêmeos sendo perseguidos pelo Minotauro, o rosto deles congelado em expressões de horror enquanto as garras da Lenda faziam a cabeça de cada um rolar de cima do pescoço. A imagem o alegrou por cerca de meio segundo até ele afundar no que sabia que seria um dia inteiramente infeliz. E foi. Inteiramente.

6

Finn andou até sua casa com o capuz do casaco puxado para esconder o rosto. A garoa parara, e a cidade voltava à normalidade... Seu próprio tipo de normalidade, pelo menos. Não pela primeira vez, sentiu a pressão de saber que a segurança da cidade um dia estaria por inteiro sob sua responsabilidade.

Agora, porém, haviam lhe dito que "um dia" não estava nem a um ano de distância, quando seu pai iria partir para o Conselho. Essa revelação, para Finn, tornava difícil até mesmo respirar.

Ele crescera ouvindo histórias dos Caçadores de Lendas do mundo, os defensores de cada Vila Flagelada. As famílias passavam o conhecimento, as técnicas e as armas adiante, geração após geração, cada um jurando proteger a população.

Todavia, os Caçadores de Lendas do mundo não eram mais necessários. Suas vilas haviam ficado tranquilas. Os Caçadores permaneciam naquelas que um dia foram Vilas Flageladas por precaução, alguns até continuavam a treinar e treinavam os filhos só por garantia, mas a maioria havia adotado novas profissões. O funcionário da estação de trem que carimba a sua passagem poderia ser de uma linhagem antiga de Caçadores de Lendas. Assim como a professora de dança, a mulher da previsão do tempo, ou aquele cara que veio consertar a TV.

Mas não em Darkmouth. A família de Finn era formada por Caçadores de Lendas há tanto tempo quanto havia histórias a respeito deles. E, enquanto as Lendas continuassem existindo, enquanto continuassem a atacar Darkmouth, sua família seria necessária. Enquanto ele fosse o filho único do único Caçador de Lendas, Finn seria necessário. E, como seu pai seria promovido para o Conselho dos Doze, Finn seria necessário para proteger Darkmouth *sozinho*.

Cada pedacinho dessa responsabilidade pesava sobre ele enquanto seguia para casa de mau humor.

O que tornava as coisas piores era o fato de ele *não estar* pronto. Ele tinha precisado de ajuda. De novo. Sua terceira vez em uma caçada com o pai. Seu terceiro fracasso.

A primeira caçada, poucas semanas antes, fora pura humilhação. A Lenda em questão era um Basilisco, um réptil particularmente estúpido e gordo com uma espécie de bico. Os Basiliscos eram ensinados a acreditar que um único olhar era suficiente para matar um ser humano. Quando acuados, eles paravam, abriam bem os olhos e encaravam o humano que chegava. O único problema era que o olhar deles era pouquíssimo mais ameaçador do que a risada de um bebê. Um Caçador nem alterava o passo.

Apenas um Caçador de Lendas bastante inexperiente ou inapto poderia falhar na captura de uma criatura assim. Finn, por acaso, se encaixava nas duas categorias.

Seu pai havia prolongado a caçada para mostrar a Finn a melhor maneira de rastrear uma Lenda usando suas próprias habilidades em vez de alguma tecnologia.

— Quando o mundo delas se encontra com o nosso, é formada uma poeira. Mesmo a chuva não lava essa poeira. Siga essas trilhas de pó. Conheça as ruas. Siga em um ritmo regular…

Foi então que ele notou que Finn não estava mais na sua sombra. Em vez disso, depois de capturar rapidamente o Basilisco, ele encontrou seu filho a duas vielas de distância, caído com as costas no chão, chutando as pernas no ar como uma tartaruga revirada. O medo do seu pai era que a Lenda tivesse derrubado Finn; em vez disso, seu filho fora derrotado pela forma desajeitada do seu próprio traje de luta e pelas habilidades de combate nada incríveis de uma caçada.

Houve um silêncio desconfortável na volta para casa.

A segunda caçada, na semana anterior, começou bem o bastante. Depois de algumas modificações na sua armadura, Finn até ganhou seu próprio Dissecador. O pai ficou com ele conforme caçavam o intruso. Era uma pequena Manticora com corpo de leão, asas curtas e largas de dragão, cauda de escorpião contornada por setas venenosas e, o maior perigo de todos, a incapacidade de calar a boca.

Eles se moviam depressa, Finn seguindo a poeira vinda do Lado Infestado, assim como aprendera, até acuar a Manticora em um beco. Depois, tudo deu errado. Quando Finn tentou tirar o Dissecador do coldre na cintura, prendeu a luva na armadura e nem conseguiu erguer o braço.

Manticora

— Espere um segundo — disse ele para a Manticora.

Foi um grande erro.

A primeira lição que um Caçador de Lendas recebe sobre a Manticora é: *Não entre na conversa*. A Manticora vai segurá-lo ali o dia todo, falando quase só em charadas. Charadas ruins. Em certo ponto, você vai enlouquecer bastante.

Por sorte, conforme a Lenda abria a boca para responder com uma charada bem devastadora, o pai de Finn a dissecou.

Ele e Finn caminharam para casa de novo em um silêncio altamente constrangedor.

E depois, é claro, teve o dia de hoje.

Em menos de um ano, Finn deveria Concluir e se tornar um Caçador de Lendas completo. Entre os critérios para sequer ser *considerado* estavam três caçadas bem-sucedidas e comprovadas. Ser acuado pelo Minotauro naquela manhã, em vez disso, tinha completado um trio de calamidades.

Ele vira a expressão do pai quando desceu do carro em frente à escola, a decepção franzindo suas sobrancelhas. Agora, enquanto ia para casa, Finn entendeu melhor quanto a decepção era profunda. Ele encarava duas possibilidades.

Ou seria um fracasso tão espetacular que não se tornaria Concluído, impedindo assim que o pai fosse o único Caçador de Lendas de Darkmouth em quarenta e duas gerações a abocanhar o emprego dos sonhos de qualquer Caçador de Lendas.

Ou ele iria, de alguma forma, ter sucesso e ficaria com a responsabilidade de defender sozinho Darkmouth e cada alma dali.

Finn não conseguia decidir qual era o melhor resultado. Ou, mais precisamente, o pior.

7

Finn virou em uma rua formada, de um lado, por uma fileira de casas que pareciam abandonadas, janelas fechadas com tijolos ou tábuas, algumas pintadas com imagens infantis de caixas de flores em uma tentativa de alegrá-las um pouco. Algumas árvores brotando pelo caminho aliviavam um pouco a imagem, mas um longo muro branco do outro lado da rua dava a tudo uma inevitável aparência austera.

Em uma cidade com nomes de ruas que falavam do passado violento de Darkmouth, aquele pedaço não tinha nome. A casa de Finn era a última da fileira, parecia comum e nada marcante.

Conforme se aproximava, Finn pôde ver um carro de polícia estacionado logo atrás do carro do seu pai. A porta da frente da casa estava aberta e ele conseguia enxergar no interior a figura do sargento local.

Finn conseguiu chegar com passinhos rápidos ao muro baixo que contornava o pequeno jardim do lado de fora da casa. Fora da vista, ele se abaixou e ouviu.

— Sabe que nós valorizamos o que você faz, Hugo — o Sargento Doyle estava dizendo. — E sabemos que você tem de ensinar ao menino.

O sargento era um homem grande que costumava ter o peito musculoso, mas, com a idade, aquele volume tinha despencado para sua barriga.

— Mas é a terceira vez em poucas semanas.

Houve uma pausa. Finn se esticou, colado à parede, e viu o Sargento Doyle folhear um bloco de notas, que começou a ler:

— Dois muros pulverizados na Alameda Desossada. Um carro semidestruído pelo seu garoto na Passagem Semgraça…

— O.k., sargento — disse o pai de Finn, erguendo as mãos. — Vamos garantir que…

— Duas pessoas em tratamento por causa do choque.

— Podemos cobrir quaisquer despesas…

— A despesa aqui é você, Hugo. As pessoas desta cidade já têm medo dos monstros; não precisam ter medo de quem deveria protegê-las.

O Sargento Doyle nunca parecia contente por estar em Darkmouth. Hoje não era diferente.

— Eu preciso treiná-lo, sargento… — o pai de Finn começou a falar.

— Nós *sabemos* que você precisa ensinar o menino, mas deve haver uma maneira melhor do que dar uma arma para ele e soltá-lo por aí — comentou o Sargento Doyle, afastando-se da porta. Apertado contra a parede, Finn sentiu o calor subir em seu rosto. O Sargento Doyle passou por ele sem notá-lo, entrou no carro e baixou a janela.

— Hugo, nós dois sabemos que as pessoas daqui se perguntam por que Darkmouth é o último lugar onde esses ataques ainda acontecem. Estão começando a culpar você. Algumas pessoas estão até perguntando se você deixa os monstros entrarem só para manter o seu emprego aqui.

— Ah, olha, sargento…

— Há pessoas em Darkmouth que se perguntam se elas não estariam melhor lidando com isso por conta própria. Estamos no século 21, Hugo. Elas acham que podem comprar pela internet kits para matar monstros.

O pai de Finn suspirou.

— Eles se chamam Lendas.

— O quê?

— Até mais, Joe.

O Sargento Doyle saiu dirigindo, e o pai de Finn o observou partir.

— Feche a porta ao entrar, Finn — comentou ele ao voltar para dentro da casa.

Finn resmungou. Ele deveria saber que era praticamente impossível conseguir espionar o pai. Mesmo suas brincadeiras de esconde-esconde infantis haviam sido arruinadas pela incapacidade do pai de sequer *fingir* não saber onde o filho estava.

Quando Finn começou a se dirigir para a porta da frente, viu algo pelo canto do olho, um borrão mais à frente na rua, movendo-se depressa da porta de uma casa para outra. Era menor do que ele, mas alto o bastante, e ele teve um vislumbre do que poderiam ser pelos. Pelos vermelhos e flamejantes.

Finn hesitou, abriu a boca para chamar seu pai, mas decidiu não fazê-lo.

Ele estendeu a palma da mão, mas não sentiu chuva; virou a cabeça na direção de sua casa, mas não ouviu alarme.

Olhou na direção da casa e depois de volta para a figura. Rápida e habilidosa, ela desapareceu na esquina.

Aquela era uma caçada que Finn precisava fazer sozinho.

Ele seguiu a criatura.

8

Quando virou a esquina, Finn teve uma visão melhor da figura que estava perseguindo.

Sentiu uma pancada de alívio quando ela confirmou ser o que ele esperava desde que a vira. Ele agora tinha confiança de que não precisaria de nenhuma ajuda, nenhuma armadura, nenhuma arma. Também não precisaria nem um pouco da coragem que seu pai insistia que ele um dia iria encontrar.

Não era uma Lenda, mas uma pessoa. E, se uma pessoa quer ficar espiando por aí, uma massa de cabelos vermelhíssimos não ajuda muito a se camuflar.

Ao chegar à rua seguinte, ele a viu imediatamente. Ela nem tentara se esconder; em vez disso, parecia estar esperando por ele, apoiando-se em um muro, os olhos apenas um pouco visíveis atrás do cabelo. Finn havia sentido a mira daqueles olhos na parte de trás da sua cabeça durante todo o dia na escola, mas, sempre que ele olhava para trás, na direção dela, ela não estava olhando para ele.

— O que você quer? — perguntou ele, percebendo que não sabia o nome da garota nova.

— Você é o Finn, não é?

— Sim — respondeu ele, irritado. — E você é...?

Ela não respondeu.

— Por que você está me seguindo? — perguntou Finn. — Quero dizer, você viu minha rua? Nós não recebemos muitas visitas, na verdade.

— Não foi o que ouvi dizer.

— Então você deveria saber que é melhor ficar longe.

Ele respirou fundo para ficar um pouco mais alto.

— Eu lido com um monte de coisas muito piores do que você todos os dias da semana, e a situação não costuma ficar boa para elas.

— Também não foi isso que eu ouvi.

Finn imediatamente desinchou.

— Você parece ter ouvido tudo então — disse ele, traído por um tom agudo de mágoa na voz. — Agora me deixe em paz.

Ele se virou e começou a sair com passos duros.

— Emmie! — ela gritou para ele. — Meu nome é Emmie. Desculpe. Eu não quis ser mal-educada. Nervosismo do primeiro dia, eu acho.

— É, bem...

Finn fez uma pausa, mas ainda não sabia o que dizer.

— Quero dizer, meu pai se mudou para cá por causa do trabalho e eu nunca pensei que acabaria em uma cidadezinha, porque, sabe, eu cresci na cidade grande e nunca tive que ser a menina *nova*, não que eu tivesse também muitos amigos onde morava, mas eu tinha alguns, e agora eles estão lá e eu estou aqui, e esta cidade é meio estranha porque, sabe, eu nem pude trazer o Silver com a gente porque ele se machucaria só de escalar os muros, por causa... Ah, aliás, Silver é o meu gato... Por causa de todo o vidro que tem neles. Digo, qual é a história deste lugar e os muros altos e todo o vidro e essas vielas estreitas parecendo labirinto? Será que as pessoas realmente gostam de viver assim? Porque parece, sei lá, meio deprimente. Quero dizer, mais algumas semanas e é provável que eu fique completamente...

Emmie parou, de repente percebendo que acabara de descarregar coisas demais para cima dele.

Ouvindo tudo isso, Finn ficou um pouco atordoado.

— Ah, sim — disse ela. — É para conter aquelas, ahn, coisas, não é? Eu soube de tudo. Na escola.

Ela deu um passo à frente, seu cabelo se abrindo um pouco para revelar olhos verdes arregalados de entusiasmo.

— Diga, você vê muitos deles? Você viu um hoje de manhã? Eles são perigosos? Como eles são? Você já *matou* um deles?

Ela se recompôs e deu um passo para trás, baixando a cabeça de forma que seu rosto recuou de novo para trás do cabelo.

— Desculpe. Eu não devia ser tão enxerida — disse ela. — É só, bem, é meio *legal*.

Um rubor estourou nas bochechas de Finn. Emmie olhou ao redor, parecendo um pouco desconfortável.

— Eu tagarelei demais. É melhor eu ir embora.

— Ah — disse Finn, ainda um pouco pasmo com tudo aquilo.

— A gente se vê amanhã — disse ela, alegre.

— Que seja. Na escola, eu suponho.

— Vejo você antes disso, no caminho para lá.

Emmie abriu a porta da casa em frente da qual os dois estavam e desapareceu lá dentro.

Finn continuou onde estava, um pouco desnorteado por causa do encontro. Ele olhou para a casa por alguns segundos. Era uma casa geminada comum, não tinha nada de especial. A casa dele era parecida, claro — pelo lado de fora, pelo menos — e, assim, ele sabia quanto as aparências podem enganar, mas a de Emmie ficava em uma rua comum, ladeada por casas cheias de agitação e carros e uma sensação de vida. Não era a ruína que a rua dele aparentava ser. Ele invejava aquilo.

Finn virou-se para tomar o caminho de casa. Ao fazer isso, notou um movimento de cortina na janela do andar inferior, mas a pessoa que estivera ali tinha ido embora com a mesma rapidez.

9

Finn sentou-se à escrivaninha em seu quarto, abaixo de uma soleira de janela abarrotada de moedas, pilhas, pedaços quebrados de um telefone velho e um bichinho de pelúcia esfarrapado com oito braços e presas macias que ele nunca conseguira se convencer a jogar fora. Bolhas, seu peixinho dourado, cutucava as pedras do seu aquário, às vezes fugindo assustado com seu próprio reflexo.

Em frente a ele havia um livro grande de capa dura: *A Vida Grandiosa dos Caçadores de Lendas, Dos Tempos Antigos até os Dias Modernos (Vol. 18, de Rupert, o Tolo, a Sven Dente-de-Ferro)*. Finn deveria estar estudando-o, mas seus olhos não viam o livro. Em vez disso, estavam na rua lá fora, agora escura e silenciosa, que ainda brilhava com a umidade da chuva que caíra mais cedo.

Sua *mente* estava em um lugar completamente diferente.

Estava repassando a visão daquela manhã, do carro sendo amassado como uma lata de refrigerante. A decepção no rosto do seu pai. O momento quando o Minotauro o acuara. O cheiro do hálito dele ainda se agarrava às narinas de Finn, forçando-o a repassar a cena de novo e de novo na cabeça, e ele sentiu sua vergonha crescer com cada *replay* até formar um grande nó no seu peito.

Das profundezas da casa, ele podia ouvir baques surdos e *uirrs*. Seu pai estava fazendo alguma coisa havia semanas, às vezes até muito tarde da noite. Quando chegava da escola, Finn o via rapidamente — quando o pai ia até a cozinha, enquanto ele estava fazendo a lição de casa, para dizer qual parte de *A Vida Grandiosa* ele tinha de ler naquela noite, enquanto arrancava uma lâmina do liquidificador antes de sair de novo sem explicações.

Houve um *tump* tão alto que fez a casa estremecer e arrancou Finn da sua autopiedade. Depois, o silêncio.

Finn olhou para fora, tentando esfriar a cabeça. A rua silenciosa brilhava com a umidade da chuva e nada se mexia.

Ele colocou a mão no bolso, tirou o objeto parecido com um diamante que estava no nariz do Minotauro e o levantou para deixar a luz da rua iluminar seu contorno. Antes que pudesse examiná-lo melhor, a porta foi aberta. Finn rapidamente jogou o cristal em uma gaveta que estava aberta.

— Mãe! Você devia bater na porta antes de entrar.

— Desculpe, Finn — disse a mãe, entrando no quarto. — Eu só estava preocupada com você. Soube que teve um dia difícil.

Eles se sentaram juntos na ponta da cama.

— Como foi o trabalho? — perguntou ele.

Sua mãe era dentista e, como acontecia na maior parte dos dias, ela trouxera para casa um odor suave de produtos químicos e dentes desgastados. Aquilo era mais reconfortante para Finn do que ele jamais tinha parado para pensar.

— Não foi tão emocionante quanto o seu dia, ainda bem. Embora todo mundo estivesse falando sobre a Lenda que apareceu hoje de manhã. Por sorte, tudo o que eu precisei fazer foi balançar a broca para ela, que se calou bem depressa.

Ela colocou um braço em volta de Finn e foi lhe dar um beijo no topo da cabeça.

Finn sorriu, mas se contorceu para se afastar:

— Eu não sou um bebê, mãe.

— Você ainda é o *meu* bebê — ela logo respondeu.

Ele resmungou em protesto. Não queria admitir que o que ela disse aqueceu seu coração.

Das profundezas da casa, soou um *pummp*, seguido pelo longo *scriiiii* de uma furadeira.

— Eu gostaria que ele se apressasse e terminasse o que quer que seja que está construindo lá embaixo — comentou a mãe de Finn.

Houve outro *tud*.

— Você falou com ele sobre... hoje de manhã?

— Não muito. Está tudo bem, mesmo. Pare de se preocupar.

A mãe de Finn olhou para ele.

— Eu sabia no que estava me metendo quando conheci seu pai. Você não teve essa escolha.

— Às vezes eu queria que você fosse uma Caçadora também — disse Finn. — Você seria muito boa.

A mãe sorriu.

— Eu acho que meus pais não teriam me deixado casar com ele se *isso* fosse esperado de mim. Acho que *eu* não teria casado com ele. De qualquer forma, você conhece as regras. Civis não podem se tornar Caçadores de Lendas, Finn. Você precisa nascer para isso.

Finn e sua mãe ficaram em silêncio por alguns momentos; o único som era o do peixinho dourado cutucando os seixos.

— Mas eu falo sério, mãe. Você seria uma ótima Caçadora.

— Eu poderia passar o fio dental nelas até se darem por vencidas. Ou ameaçá-las com um tratamento de canal.

Finn abriu um sorriso fraco, o que mandou outro filete de calor para o seu peito, diminuindo um pouco o aperto do nó.

— Vou falar com o seu pai — disse a mãe, levantando-se. — Pedir para que ele pegue um pouco mais leve com você.

— Não! — disparou Finn, antes de se acalmar depressa. — Por favor, não. Eu estou me esforçando muito, é só...

— Eu compreendo. — Sua mãe lhe deu outro beijo na cabeça antes de sair. Desta vez, ele não se contorceu tanto.

Finn se levantou e trancou a porta assim que ela saiu e, depois, voltou para a escrivaninha e pegou o diamante no esconderijo. Ele ouviu a porta da frente da casa ser aberta, olhou pela janela e viu luz derramando-se sobre a calçada.

A sombra alongada do pai cortava a rua. Finn sabia que sua atenção estava voltada para a esquina, onde uma van estacionada ligou o motor e, sem nem acender os faróis, afastou-se devagar.

O pai de Finn virou-se de volta para a casa e ouviu-se o som forte da porta da frente sendo trancada.

Finn enrolou o diamante em um par de meias velhas e colocou-o no fundo da sua gaveta de cuecas, onde ficaria seguro. Ele não sabia o que iria fazer com aquilo, mas, para começo de conversa, parecia ser tarde demais para admitir que o pegara. Era sua lembrancinha. Ninguém precisaria saber.

Ele se recostou na cadeira da escrivaninha e folheou *A Vida Grandiosa*, registrando apenas um pouco do texto até, de debaixo dele, puxar um livro menor e mais fino. Na capa havia um homem com um avental azul de médico segurando um cachorro pela mandíbula. Poderia não ter ficado muito claro se ele estava prestes a ajudar o cão ou dar um soco nele, a não ser pelo título, meio obscurecido por um selo de biblioteca: *Então Você Quer Ser Veterinário*.

Finn leu algumas páginas, debruçando-se sobre as imagens de cães, gatos, aves e lagartos, com instrumentos apontados para suas orelhas, ou segurando a língua deles, ou passando um pente por seus pelos, suas penas ou sua pele, todos nas mãos de pessoas de aparência confiante vestindo uniforme médico.

Finn imaginou-se com aqueles uniformes em vez de um traje de luta, fechou os olhos e se viu cuidando de um animal em vez de explodi-lo, ajudando criaturas em vez de encolhê-las até virarem pequenas bolas.

Seu sonho foi interrompido pelos ruídos de novo, no fundo da casa. Finn colocou a cabeça sobre a escrivaninha, a página do livro fria na sua bochecha, e escutou os barulhos, sentindo a vibração fazer cócegas no seu rosto. *Crump, crump, crump*. Silêncio. *Scriiii*.

Eles não evitaram que Finn caísse rapidamente em um sono profundo.

Do *Guia Conciso do Mundo dos Caçadores de Lendas*, Vol. 2, Capítulo 65: *"O Lado Infestado: um guia sobre o que sabemos e o que não sabemos"* (publicado por Plurinos, Magesterius, Fortimus & Murphy).

Ao longo dos anos, houve situações em que Caçadores de Lendas viajaram para o Lado Infestado, fosse para travar um ataque ou por terem sido sequestrados por uma Lenda. Houve até uma tentativa infame de promover a paz com as Lendas. E, em pelo menos três casos registrados, as pessoas simplesmente tropeçaram e caíram em um portal.

As experiências daqueles que retornaram do Lado Infestado em grande parte não foram comprovadas. No entanto, há consistência em seus relatos: todos voltam para casa com descrições vívidas de um mundo ressecado, envenenado e venenoso, onde a morte se agarra a cada árvore sem folhas e cada pedacinho de moita queimada. Eles também voltam para casa com um cheiro muito, muito ruim.

Portanto, ao longo de centenas de anos dessas visitas, acrescentadas às palavras e aos gritos de milhares de Lendas interrogadas, aprendemos muitas coisas sobre o Lado Infestado.

Algumas delas podem até ser verdade.

IO

Broonie não sabia para onde estava sendo arrastado, mas o simples fato de ter um saco na cabeça e os braços amarrados lhe dava motivo para suspeitar de que não era para um lugar agradável.

No início, ele pensara que fosse vítima de uma pegadinha feita pelos Hogboons, que moravam a três colinas de distância e que, juntamente com Broonie, tinham se envolvido em uma batalha de brincadeiras havia alguns meses. A pegadinha mais recente feita com Broonie envolvera um pequeno roedor sendo solto na casa dele, o que, em si, não seria tão digno de nota se o pequeno roedor não estivesse em chamas naquele momento.

Aquilo foi, Broonie analisou, uma resposta justa ao seu próprio truque, inteligente e complexo, envolvendo hera, pauzinhos afiados, um grande buraco e um saco cheio de besouros.

Assim, quando foi acordado de um jeito rude do seu costumeiro cochilo de um dia inteiro com um saco colocado na sua cabeça, ele teve certeza de que era apenas outra pegadinha.

— Certo, pessoal, muito engraçado — dissera ele, enquanto seus braços estavam sendo amarrados. — Mas não era a minha vez de fazer a brincadeira?

Foi quando ele recebeu um soco na cabeça pela primeira vez.

Mesmo com uma pequena concussão, ele percebeu que eram dois agressores e ambos eram grandes. Estava claro que não eram Hogboons como ele, porque os Hogboons eram uma raça de baixa estatura, com membros peludos, que compensavam a ausência de força física com o comprimento das orelhas, o desalinhamento dos dentes, a coloração esverdeada da pele e o mau comportamento no geral.

— Fique parado, seu ladrãozinho feio, ou vou arrancar seus braços e usá-los para quebrar suas pernas — um dos agressores urrou quando Broonie encontrou alguma energia para resistir.

— Você está me chamando de feio? — exclamou Broonie. — Eu consigo ver os seus pés por baixo deste saco. Se não se importa que eu pergunte, essas verrugas são suas ou você pegou algumas emprestadas para esta ocasião especial?

Foi aí que ele recebeu o soco número dois, que o deixou desacordado.

Quando Broonie acordou, estava sendo arrastado subindo algum tipo de ladeira. Era íngreme, e o terreno machucava muito embaixo dos seus pés. Na verdade, machucar os pés teria sido um luxo para Broonie naquele momento. Conforme ele era puxado, o terreno machucava muito os dedos dos pés, machucava muito suas canelas e machucava muito, em especial, seus joelhos.

Pior que isso era o fedor no ar. Ele atravessava o tecido do saco até queimar a sua garganta. Broonie tinha ouvido a respeito desse odor intenso de outros viajantes, ou pelo menos daqueles que alegavam ter sobrevivido a ele.

— Se você deixasse um saco de peixes apodrecer dentro de um cadáver recheado de peixes já podres, seria um doce perfume comparado ao fedor desse lugar — insistira um viajante.

— Eu queimei cada peça de roupa que tinha para me livrar da sua imundície. Mesmo assim não foi suficiente — sussurrou outro. — No final, tive que raspar cada pelo do meu corpo, arrancar cada fio das minhas narinas, puxar cada cílio dos meus olhos para me livrar dele. Mesmo assim, até hoje, se o vento soprar em uma direção específica...

O ar parecia ficar mais pútrido a cada passo que os captores de Broonie davam, com cada batida e raspão que seu corpo absorvia. Ele agora entendia para onde estava sendo levado. Era para um lugar de morte. Bem provavelmente, da sua.

Em certo momento, a subida ficou mais suave, o chão se tornou de pedras duras e planas. Era mais quente, e os ecos dos pés dos seus captores e seus resmungos ocasionais de dor informaram a Broonie que ele estava agora em um ambiente fechado.

Uma porta gemeu ao ser aberta, e o calor acertou Broonie com força. Eles pararam. Broonie foi jogado no chão. Conforme se levantava, um dos sequestradores puxou o saco da sua cabeça. O Hogboon foi, por um momento, cegado pelas numerosas tochas, que se erguiam bem alto em caldeirões enormes, os quais contornavam o grande salão de pedra. Em frente a ele, o fogo mais alto estourava, estalava e subia alto na direção do teto.

Seus captores moveram os corpos pesados para longe. Broonie percebeu nesse momento que eram Fomorianos, gigantes brutais e impiedosos que eram ou muito inteligentes ou espetacularmente burros, sem meio-termo. Ele não tinha muita certeza de qual tipo era melhor encontrar.

Seus olhos se adaptaram depressa e ele viu que degraus subiam do canto mais distante ao lado do fogo, levando a um pedestal onde estava uma figura que Broonie havia esperado de todo o coração nunca ter de encontrar.

O volume enorme de Gantrua não estava virado de frente para Broonie e, quando ele falou, girou a cabeça apenas um pouco na direção do Hogboon, somente o suficiente para revelar a ponta recurvada de chifres muito grandes e ameaçadores que brotavam da sua testa.

A luz das chamas dançava refletida na armadura presa da cintura dele até uma grade cheia de pontas que ia de um lado ao outro da sua boca. Mesmo na iluminação incerta, Broonie podia ver que ela era feita de vários dentes individuais fixados em um aro de metal.

— Você sabe quem eu sou, Hogboon? — A voz de Gantrua era tão grave que Broonie sentiu um tremor através das pedras sob seus joelhos.

— Sim, Vossa Grandeza. A terra toda treme só de ouvir seu nome.

— Sabe por que está aqui?

Broonie não sabia. Assim, ele fez uma tentativa.

— Por causa dos besouros? Foi apenas um saco deles, Meu Lorde, e ninguém os estava comendo naquele momento. Se eles eram seus, eu peço desculpas sinceras. Eu tinha a intenção de juntar todos e devolvê-los, mas, sabe como é, Todo-Poderoso, havia outras coisas a serem feitas...

— Calado — ordenou Gantrua com uma autoridade que aterrorizou Broonie com tanta eficácia que ele perdeu o equilíbrio por um instante. — Não me importo com seus roubos patéticos. Se tivesse decidido roubar de *mim*, teria sido abatido antes que o pensamento sequer passasse por sua mente.

A cabeça de Broonie havia baixado de exaustão e humilhação. Seu corpo doía por conta da jornada violenta. Sua cabeça doía por tentar entender por que ele estava ali, para começo de conversa.

Ele levantou a cabeça de novo e viu que Gantrua o estava ignorando, envolvido em uma conversa com uma figura menor de capuz, nas sombras.

Gantrua sinalizou para que a outra criatura aguardasse, depois se virou por completo e agigantou-se diante de Broonie.

Na luz bruxuleante, Broonie conseguia enxergar as cicatrizes que marcavam a pele de Gantrua, vales fatiados por seus braços, rios de ferimentos cruzando seus ombros.

— Você é treinado? — perguntou Gantrua.

Broonie não esperava por essa pergunta.

— Todos nós fomos, Vossa Grandeza. Já faz muito tempo. Antes de o céu fechar.

— É melhor procurar essas lições na sua memória. O céu não se fechou por inteiro.

Então os rumores eram verdade, pensou Broonie. *Ainda há portais para o Mundo Prometido*. Os exércitos vinham conversando sobre aquilo, mas ele nunca ouvira uma confirmação. Fazia muito, muito tempo desde que escutara falar de alguém que tivesse atravessado e voltado.

— Estamos à beira de uma grande invasão do mundo dos humanos — continuou Gantrua. — Precisa dar certo ou a passagem poderá ser trancada por toda a eternidade e nós ficaremos presos. Para sempre. *Neste* lugar.

Ele cuspiu nas chamas, abalando-as e provocando o caos. Recompôs-se conforme o fogo se acomodava de novo em sua dança normal.

— Você, Hogboon, irá para o Mundo Prometido.

— Estou honrado, Vossa Adoração. De verdade. É uma honra enorme. Mas, Grande Mestre, eu não treino há muitos anos. Sinto que serei capturado assim que passar pelo portal.

Gantrua inclinou-se para a frente de forma que as chamas lamberam a proteção de metal do seu queixo.

— Estou contando com isso.

Ele recuou, sussurrando para a figura de capuz que tinha ficado por lá, à espreita, nas sombras. Depois, Gantrua dirigiu-se a Broonie de novo.

— O menino estará lá.

— O menino?

— Não se faça de tolo, Hogboon. Sei sobre o que se conversa para além destes muros. Sei que conversam sobre o menino. Os outros se perguntam se é verdade, se o menino é real. Bem, ele é real. Você vai conhecê-lo e vai levar duas coisas para ele. Uma é uma mensagem. A outra é um presente. Meus guardas vão lhe dar os dois.

Um dos Fomorianos tirou um par de pinças de seu cinto e se aproximou de um caldeirão. Ignorando as chamas raivosas, o guarda mergulhou a pinça no fogo e tirou um cristal longo e transparente. Levou-o até Broonie.

— Os mineiros trabalham dia e noite para encontrar o suprimento escasso desses cristais — rosnou Gantrua. — Cada um deles tem o poder de abrir um caminho entre os mundos. Precisamos mandar um para o Mundo Prometido, mas ele só manterá seu poder por meio de um sacrifício. Acho que devo lhe dizer que o seu será nobre, mas duvido muito que a nobreza um dia se rebaixaria para se tornar uma conhecida sua, então vamos simplesmente seguir em frente com isso.

Gantrua virou-se para sair pelo lado mais distante do pedestal e, depois, parou no meio de um passo.

— Qual dos seus dedos é o menos precioso para você, Hogboon?

— Ahn, eles todos meio que são úteis para mim, Magnânimo. Seria difícil escolher.

— Todos falam o mesmo — rosnou Gantrua e, depois, desapareceu pelo canto mais distante do pedestal.

O guarda que segurava o cristal se aproximou mais. Da sua cintura pendia um alicate de aparência bastante ensanguentada. O segundo Fomoriano agarrou o Hogboon pelo braço e o prendeu no chão.

Broonie havia se segurado até então, mas decidiu que agora era um bom momento para gritar.

11

Na hora do café da manhã, o pai de Finn entrou na cozinha e começou a procurar algo em uma gaveta.

— Como está se sentindo nesta manhã, Finn?

Finn estava com a boca cheia de cereal e não conseguiu produzir uma resposta de verdade.

— Muito bom. Olhe, eu estava pensando sobre o que aconteceu ontem — disse o pai, agora procurando algo em um armário. — É a falta de prática com Lendas de verdade que o está atrasando. É culpa minha, na realidade. Vamos consertar isso. Conseguir uma Lenda para você lutar com ela.

Finn engoliu o cereal.

— Hum… É isso que você está procurando agora?

Seu pai passou para outro armário, sua cabeça toda lá dentro enquanto ele procurava alguma coisa.

— Tudo isso é muito emocionante, Finn. Você vai Concluir, eu vou entrar para o Conselho. Nenhuma outra família do mundo tem essas expectativas no seu futuro. É realmente importante.

Ele emergiu de mãos vazias e, depois, endireitou-se enquanto olhava ao redor com atenção.

— Isto vai ter que servir — falou, pegando uma faca e caminhando na direção de Finn, que se esquivou quando o pai avançou na direção da torradeira atrás dele.

Usando a faca, ele forçou a alavanca do aparelho e saiu da cozinha com ela.

Alguns segundos depois, a mãe de Finn entrou.

— Bom dia, raio de sol — disse ela, pegando algumas fatias de pão e colocando-as na torradeira.

Ela parou, percebendo o que estava faltando.

— Hugo!

Finn saiu de casa para ir à escola e Emmie apareceu assim que ele passou a esquina onde suas ruas se encontravam.

— E aí, como vai? — perguntou ela, ficando ao lado dele como se os dois se conhecessem desde sempre.

— Ahn, é... — foi a resposta de Finn.

Ele refletiu que deveria talvez ser um pouco mais articulado dali em diante.

No final das contas, ele não precisava ter se preocupado tanto porque Emmie cuidou da maior parte da conversa. Ela geralmente parecia tratar o silêncio como inimigo. Falou principalmente sobre Darkmouth. Embora a maioria dos novatos se sentisse tentada a sair correndo do lugar o mais rápido possível, Emmie estava fascinada com quase todos os detalhes.

Ela notara que havia grades nas janelas de muitas casas e estabelecimentos.

— Até mesmo a igreja parece uma prisão. E, se vocês tivessem uma prisão de verdade aqui, teriam colocado grades por cima de grades?

E havia a maneira como as pessoas recebiam cada gota de chuva com cautela, como se ela pudesse ser um dilúvio de sangue, não de água.

— Se elas têm medo da chuva — observou Emmie —, a Irlanda não é um lugar muito bom para viverem, é?

Ela via cada marca em postes de luz e cada rachadura na calçada como um possível dano causado durante o ataque de uma Lenda e ficava decepcionada quando Finn menosprezava cada uma delas dizendo serem apenas marcas feitas por alguém que não estava olhando quando deu a ré com o carro ou apenas outra rachadura que não fora consertada.

Finn nunca havia servido de guia para um novato em um tour por Darkmouth e podia ver quanto Emmie ansiava por ouvir histórias de aventuras. Conforme eles passavam em frente ao mar, ele apontou para a grande pedra desgastada que se projetava para cima a alguma distância.

— Ela se chama Poleiro da Perdição. Uma Lenda a jogou ali. Mas não é por isso que se chama Poleiro da Perdição. Há cerca de cem anos, um morador local escapou do ataque de uma Lenda roubando um barco e levando-o até aquela pedra.

Por debaixo da franja, os olhos de Emmie o incentivaram a continuar.

— Ele subiu até o topo, presumindo que seria um bom lugar para se esconder, e esperou a Lenda passar. Depois que o ataque terminou, quando tudo parecia seguro, ele desceu de volta para o barco.

— Ele foi comido enquanto descia?

— Não, ele escorregou em algas, caiu no mar e nunca mais foi visto. A pedra é chamada de Poleiro da Perdição desde então.

Emmie pregou um sorriso bem aberto no rosto.

— É, boa. Tente enganar a menina da cidade. Você vai ter que se esforçar mais do que isso.

Finn sentiu-se um pouco derrotado por isso. A história era basicamente verdade, embora ele tivesse inventado a parte sobre o barco ser roubado.

Como eles haviam se demorado no caminho para a escola, acabaram se atrasando, e Finn mais uma vez se viu obrigado a ocupar a última carteira vazia. Quando ele se sentou, viu um carrinho de brinquedo sobre a mesa, metade dele derretida. Os gêmeos Savage estavam rindo em silêncio atrás de Finn. Conn Savage brincou ameaçadoramente com sua orelha deformada, enquanto Manus esfregou os nós dos dedos abaixo dos olhos. *Buuuuuu.*

Ao longo dos dias seguintes, Emmie fez várias perguntas para Finn sobre Darkmouth e a vida dele, e o assunto que mais aparecia era este: ela queria ver o lado de dentro da casa dele. Ela era bastante persistente.

— Talvez eu possa ir até a sua casa em vez disso — sugeria ele.

— Não… — respondia ela.

Ela fazia muito isso, e funcionava como uma espécie de arma verbal, o golpe rápido de uma agulha que perfurava qualquer conversa que ela não queria estender. Finn aprendera pouco sobre Emmie, exceto que seu pai viera para a cidade a trabalho por causa de um contrato sobre linhas telefônicas e ele planejava voltar para a cidade grande assim que o serviço estivesse terminado. Ela tinha recebido todos os outros questionamentos de Finn com uma muralha de "nãos…".

— Seus amigos vão vir visitar você aqui?

— Não…

— Você tem uma casa legal na sua cidade?

— Não…

— Imagino que seja muito emocionante viver na cidade.

— Não…

— Você sente saudade do seu gato? Eu gostaria de ter um gato, mas meu pai não gosta muito de bichinhos de estimação.

— Ah, eu adoraria que o Silver estivesse aqui, mas não pude trazê-lo.

— Tem um amigo cuidando dele?

— Não…

Porém, quando se tratava da casa de Finn, as palavras jorravam como um cano estourado.

— Por que não posso entrar? Eu não tocaria em nada que não devo. Só *preciso* ver como é a sua casa, porque não consigo imaginar que tipo de lugar é, já que o trabalho do seu pai é, sabe *o que é*, e, pela maneira como todo mundo fala sobre a sua família e o fato de vocês terem passado, tipo, *séculos* fazendo isso, então deve ter coisas *incríveis* jogadas por ali, por causa de todo esse tempo e todas aquelas Lendas…

— Lendas? — interrompeu Finn.

— O quê? — perguntou Emmie. — Não é assim que elas são chamadas?

— Sim — disse Finn, carrancudo. — Mas, em geral, ninguém acerta. Todo mundo as chama de monstros. Você sabia sobre Darkmouth antes de vir para cá?

— Não…

Também ficou claro, ao longo dos dias seguintes, que Emmie não estava especialmente interessada em conhecer as outras pessoas da escola, apenas Finn. Ele não sabia bem o que pensar a respeito, mas estava contente por ela dominar a maior parte da conversa, porque isso evitava que ele dissesse algo idiota.

Naquela tarde de sexta-feira, enquanto eles caminhavam de volta para casa, Emmie perguntou de novo se poderia ir ver a casa dele, e a resistência de Finn se quebrou tão de repente que ele quase pôde ouvir um estalo:

— Tudo bem.

Aquilo fez Emmie parar de repente na rua. Finn continuou em frente, com uma satisfação silenciosa por ter dito a coisa certa e mantendo a boca fechada para o caso de complementar dizendo a coisa errada.

12

Eles passaram pelas fachadas de casas abandonadas da rua de Finn.

Emmie percorreu todo o caminho em silêncio.

Quando finalmente chegaram à porta da frente da casa de Finn, ele a abriu. Emmie ficou parada no estreito hall de entrada e esforçou-se visivelmente para esconder sua enorme decepção ao entrar no lar de uma família de Caçadores de Lendas e perceber que era tão comum quanto qualquer outra casa.

Os ganchos para pendurar casacos não eram feitos de esqueletos de serpentes.

O papel de parede não era feito de couro de dragão.

As fotos de Finn e de sua família os mostravam sentados, comendo em um piquenique e, em geral, fazendo qualquer coisa que não fosse lutar com bestas de outro reino.

— Esta é a sala de estar — disse Finn ao abrir a porta do aposento.

Ele podia ver quão abatida Emmie estava por compreender que aquela era, de fato, uma sala de estar. Nada mais, nada menos. O mesmo aconteceu com a sala de jantar, com suas cadeiras de jantar e mesa de jantar. E a cozinha. E a área de serviço, com sua tábua de passar e um ferro que poderia, em uma emergência, ser jogado em uma Lenda em fuga, embora aquela claramente não fosse sua principal finalidade.

Ele quase podia ver o que Emmie estava pensando. Essa poderia ser qualquer casa. Em qualquer rua. Em qualquer cidade.

Finn não conseguiu evitar sentir um pouco de pena dela.

— Tem mais uma coisa — disse ele, dirigindo-se até uma pequena porta apertada entre a cozinha e a sala de jantar. Um estranho poderia pensar que era um armário, porque aparentemente não havia espaço para nada maior.

A porta tinha uma maçaneta, mas Finn a ignorou e, em vez disso, pressionou cada um dos quatro painéis dela em uma sequência que parecia proposital. Ele fez disso um pequeno show, experimentando essa rara dose de poder que sentia por saber que guardara o melhor para o fim.

— Tarã — disse ele com um floreio que o fez se sentir bobo no mesmo instante.

Houve o barulho de uma fechadura se abrindo. Com um pouco de esforço, ele empurrou a porta com o ombro e recuou para que Emmie pudesse entrar primeiro. Ela atravessou, espreitando a escuridão profunda que a recebia.

Finn apertou um interruptor e uma única lâmpada cintilou bem acima da cabeça deles. Depois, a luz correu pelo teto para longe deles, iluminando lâmpada após lâmpada. Não era um aposento, de forma alguma. E com toda a certeza não era um armário.

— Este corredor — arfou Emmie — é *enorme!* Deve ocupar algumas das casas vizinhas.

Finn lhe deu um olhar e ela franziu as sobrancelhas, por um momento, e depois conteve um gritinho.

— A rua toda? A sua casa ocupa *a rua toda*? Isso é loucura!

Ela lhe deu um empurrão, com uma descrença contente.

O corredor era estreito e tinha o pé-direito alto. A luz do dia banhava as paredes de tijolos, que mudavam de cor e textura em espaços de alguns metros, já que na rua havia sido construída uma casa por vez ao longo de muitos, muitos anos. A entrada parecia ser a parte mais antiga.

— Nós o chamamos simplesmente de o Longo Corredor. Já estava assim muito antes de eu nascer — explicou Finn. — Nossos ancestrais começaram com uma casa no final da rua onde nós ainda moramos, mas, ao longo dos anos, ocuparam o restante delas, acrescentando uma casa por vez, até sermos os únicos a morar aqui.

Por toda a extensão direita do corredor havia portas fechadas. Algumas de madeira, algumas de aço, cada uma delas sinalizada com letras e números que não significavam nada para quem não era membro da família: a primeira combinação era T4; a segunda, E1; a terceira, S3.

A parede da esquerda estava revestida de retratos, alguns indo do chão ao teto. Os primeiros estavam escuros e desbotados. Neles, as pessoas usavam armaduras de metal com espetos nos ombros, capacetes com chifres acoplados, e carregavam armas básicas, mas ameaçadoras: espadas com duas lâminas, redes com bainha de aço e escudos revestidos de lâminas.

Conforme Finn e Emmie caminharam devagar pelo grande corredor, as armaduras nos retratos ficaram cada vez mais modernas e elegantes, e as armas mudaram de instrumentos pontudos para armas de fogo.

As pinturas eram, na maioria, de homens, mas começaram a aparecer mulheres à medida que os quadros ficaram obviamente mais recentes. Cada uma tinha uma placa com nome: Sean, o Corajoso; Hugh, o Cabeça-Dura; Ragnall Calça de Ferro. Aisling, o Poderoso. Conor Crânio Vermelho. William, o Surpreso. Rachel, a Teimosa. Rory, a Estimada.

Cada um tinha uma semelhança impressionante com Finn.

— Meus ancestrais — disse ele.

Emmie olhou para os retratos:

— Que nomes estranhos.

— Nós não recebemos um sobrenome ao nascer — explicou Finn. — Nós ganhamos um. Cada uma dessas pessoas ganhou o nome por causa de algo que fez ou pela sua personalidade.

— Qual é o seu? — perguntou Emmie.

— Eu ainda não tenho.

— Então você se chama apenas Finn?

— Até ganhar meu nome de Caçador de Lendas. Todos na escola acham um pouco estranho não ter um sobrenome, mas, para mim, seria estranho *ter*. Finn Smith, Caçador de Lendas. Não funciona muito bem, não é?

— Acho que não — disse Emmie, com a voz baixinha.

Finn refletiu que nunca fizera para ela uma pergunta óbvia:

— Qual é o seu sobrenome, a propósito?

— Ahn, Smith.

— Ah.

Finn sentiu o calor passar pelo seu rosto.

— Não se preocupe com isso, posso culpar meu pai por essa — disse Emmie, que não parecia muito incomodada e já estava lendo parágrafos de texto emoldurados abaixo de cada pintura.

Ela leu um.

— Conor Crânio Vermelho, Darkmouth, Irlanda. Em atividade durante o fim do século 17, certa vez passou quatro dias sem dormir enquanto rastreava e massacrava duas dúzias de Lendas que haviam entrado através de três portais simultâneos. Dizem que ele ficou tão manchado de sangue que nunca conseguiu limpá-lo pra valer da pele. Recebeu seu nome de caçador devido à incapacidade de passar qualquer extensão de tempo à luz do Sol sem se queimar.

— Há uma anotação sobre cada um deles em cada retrato — disse Finn. — Foi tirado de *A Vida Grandiosa*, um livro que todos nós temos que ler enquanto treinamos para ser Caçadores de Lendas. *Livros*, na verdade. Há vários deles. Têm informações sobre todos os Caçadores de Lendas da História.

— Isso significa que você estará no livro um dia?

— Humm. É, talvez. Quando eu me tornar um Caçador de Lendas propriamente dito — respondeu Finn.

— Legal.

Finn corou de novo, o calor formigando no seu rosto. Emmie avançou, parando no penúltimo retrato. Era de um homem que parecia o mais furioso que se podia estar. No seu colo estava um fuzil simples e, atrás dele, uma fileira de prateleiras, forradas com vidros, de cujos rótulos o artista não se dera ao trabalho de dar detalhes. Em uma pequena mesa ao lado dele estava uma árvore em miniatura, inclinando-se para longe dele em um ângulo agudo.

A placa na moldura dele dizia: *Gerald, o Decepcionado,* e o texto embaixo era particularmente longo, entrando em detalhes sobre as muitas aventuras da juventude dele, inclusive o resgate de uma família de Caçadores de Lendas cercada na ilha escocesa de Iona e o ano em que ele evitou 154 invasões de Lendas em Darkmouth; sua coleção de bonsais conhecida mundialmente e como ele, certa vez, abateu sozinho um gigantesco Cérbero de três cabeças, armado apenas com uma única pedra ("... embora fosse uma pedra bastante pontuda", *A Vida Grandiosa* esclarecia).

Finn vagueava paciente enquanto Emmie lia. Por fim, ela disse:

— Bom apelido. Combina com o rosto.

— Esse era o meu bisavô — respondeu Finn. — Eu nunca o conheci.

— Aposto que ele era um barril de risadas.

— Ele treinou meu pai. Meu pai diz que ele era muito bravo.

— Por que ele teve que criar seu pai? O que houve com o seu avô?

Finn fez um gesto na direção do último retrato. Aquele homem usava armadura, mas não capacete, e era o único dentre os retratos que não estava segurando uma arma. Em vez disso, ele estava cercado de instrumentos científicos e pedaços de papel. Ele não parecia tão confiante ou agressivo quanto qualquer um dos outros. Ele não estava de queixo erguido e seus olhos estavam voltados para baixo, como se ele fosse submisso, ou talvez até um pouco medroso.

— Esse era meu avô, pai do meu pai.

— Niall Linguanegra! Excelente nome.

— Na verdade, não — disse Finn, deprimido.

Emmie leu as informações em voz alta.

— Niall Linguanegra foi o primeiro Caçador de Lendas a tentar conversar com as Lendas, argumentar com elas e procurar entender por que queriam vir para este mundo. Ele morreu. E ninguém gosta de falar sobre isso.

Isso era tudo. Nada mais.

— Eu não compreendo. O que houve com ele? — perguntou Emmie.

— Ele morreu — respondeu Finn, hesitante. — Ninguém gosta de falar sobre isso.

Havia duas molduras vazias no final da fileira, com placas de nomes em branco, nada gravado nelas ainda.

— Para quem são essas? — perguntou Emmie.

— Elas estão aí para nos lembrarmos de nossas responsabilidades para com todos os Caçadores que vieram antes de nós, todas essas pessoas ao longo da parede. Você só ganha um retrato quando passa a função de Caçador de Lendas para outras pessoas ou se você, ahn, bem, morre.

— Uau, isso deve ser bem assustador.

— Bem, sabe, é o nosso, eu acho, estilo de vida. Essa primeira moldura vazia é para o meu pai.

— Qual é o apelido do seu pai, então?

Finn fez uma pausa antes de responder.

— Hugo, o, ahn, Grande.

— O Grande?

— É — balbuciou Finn. — Ele fez algumas coisas quando era mais novo. Tipo coisas grandes.

— O quê? Como lutar com Lendas?

— Isso. E mais. Ele nunca para de falar sobre o assunto.

— Então, quando você vai ter o seu apelido? — perguntou Emmie.

As mãos de Finn estavam enfiadas nos bolsos; os ombros, apertados.

— Preciso fazer uma coisa chamada Conclusão antes. É uma grande cerimônia.

— Quando?

Finn não respondeu e, em vez disso, caminhou da direção do final do corredor, a parede agora sem retratos de um lado, mas com portas ainda ladeando o outro (T1, A4). Emmie tentou abrir uma, mas estava trancada.

No final do corredor havia uma grande porta de aço com uma placa de madeira que dizia "Biblioteca". Finn hesitou por um momento e se virou para voltar pelo caminho por onde eles vieram.

— E isso encerra nossa visita — disse ele, com uma alegria forçada.

— O que há aqui? — perguntou Emmie, ainda parada à porta da Biblioteca.

— Nada de importante — disse Finn, sem ser convincente. — Vamos voltar e ver o que tem de comida na cozinha. Estou morrendo de fome.

Emmie esperou por ali por mais alguns instantes. Ela achou que conseguia ouvir alguém do outro lado. Os sons fracos de pés se mexendo e talvez o ranger de uma cadeira. Ela colocou a orelha um pouco mais perto. De lá de dentro, ouviu o que parecia um guincho.

— Vamos. Eu aposto uma corrida com você — disse Finn mais à frente no corredor.

Emmie correu atrás dele.

13

— Bata em mim.

Finn deu um soco no rosto do pai.

— Bata em mim de novo.

Ele deu outro soco.

— Coloque um pouco de raiva nisso.

Finn tinha raiva em estoque, mas precisava cavar fundo dentro de sua exaustão para alcançá-la. Ele se concentrou bastante, invocando-a das profundezas, e atacou de novo. Seu pai mal recuou. Em vez disso, tirou da cabeça o seu protetor macio e almofadado.

— Vamos, Finn, isso é só um treinamento. Quando eu tinha a sua idade, eu estava…

— … já lutando contra Lendas com cinco vezes o meu tamanho — disse Finn, ofegante. — Você já falou disso uma ou duas vezes.

Ele baixou os braços cansados. Seu pai lhe deu um empurrão no peito.

— Ei! — protestou Finn.

— Não baixe a guarda. Agora, dê um chute em mim. Mire na virilha.

Toda sexta-feira à noite, uma das salas do Longo Corredor recebia as tentativas frequentemente inúteis de Finn de aprender a rolar no chão e levantar-se de novo; ou atirar em um alvo; ou de pular; ou de se desviar; ou de pular enquanto se desviava. A sala era a T2, a sala de treinamento, sem nada a não ser chão acolchoado, um espelho que ocupava toda uma parede e uma caixa de equipamentos de ginástica simples com vários itens de proteção almofadados, que permitiam a Finn bater no pai onde quer que fosse ordenado.

Ele se esticou e chutou. O pai agarrou sua perna e não soltava, e, assim, Finn ficou pulando em um pé só, inteiramente à mercê do pai.

— Já vi patos chutarem mais forte do que isso — disse o pai.

Finn estava treinando desde que era muito criança e, assim, não era o caso de não conseguir fazer qualquer uma dessas coisas. Era pior: ele quase conseguia fazer a maioria delas. Ele meio que conseguia rolar no chão e quase podia pular e cair de pé. Chegava perto de conseguir atirar, praticamente saltar, mais ou menos socar e semidesviar.

Ele tinha pontos fortes; o que acontecia era apenas que eles costumavam ser acompanhados de perto por seus pontos fracos.

— Vamos tentar a Manobra Wrigley, Finn. É uma maneira simples não apenas de evitar uma Lenda que esteja avançando em você, mas de transformar a defesa em ataque.

— Esse é o mesmo cara que acabou sendo conhecido como Wrigley, o Sem-Cabeça, certo?

— Sim, e é por isso que tomamos cuidado para fazer do jeito certo. Agora, leve isso a sério, Finn. Pode salvar sua vida.

Seu pai executou a manobra disparando pela sala, depois deslizando e voltando a ficar em pé, de frente para o filho, com as mãos erguidas em posição de ataque.

— Agora tente você.

Finn seguiu o exemplo do pai, mas, comparado a ele, o menino tinha a destreza de uma girafa sobre o gelo.

— Eu vi o que você está fazendo. Entendi — protestou ele, respirando com dificuldade. — É que estou cansado agora, só isso.

— Meninos de doze anos não ficam cansados. Quando eu tinha doze anos…

— Deve ter sido um ano e tanto. Você guardou alguma coisa para quando tinha treze?

— Olhe, Finn. Na teoria, você tem potencial para ser um Caçador de Lendas muito bom...

— Bem, leve as Lendas para a teoria e eu posso cuidar delas ali — disse Finn.

— Se fosse tão rápido com as mãos quanto é com a boca, isso não seria tão difícil — respondeu o pai.

Finn sentou-se no chão, a respiração pesada.

— Não desanime — disse seu pai. — Você pode ler algumas passagens de *A Vida Grandiosa* quando acabarmos aqui.

— Ah, pai. Sério?

— Você um dia estará no livro.

— É o que ficam me dizendo. Mas não haverá muito a falar sobre mim — disse Finn.

— Isso não os impediu antes. Além disso, eles precisam desesperadamente que você consiga. Sem Conclusão, nada de primeiro Caçador de Lendas de verdade em anos e nada de nova edição do livro. Sem nova edição, nada de lucros. O que eles precisam é de uma atualização.

Finn sabia muito bem disso graças às repetidas cartas dos editores. "Esperamos ansiosos pela sua Conclusão", escreveu o grupo Plurinus, Magesterius, Fortius & Murphy. "Como está o treinamento?", perguntaram. "Não queremos apressá-lo, mas...", e assim por diante. Finn passou um tempão tentando não pensar na fila de pessoas que, aos poucos, ia se formando atrás dele e que ficariam decepcionadas se ele não Concluísse. Entretanto, a conversa com Emmie o havia lembrado de que ele não seria o primeiro problema da família.

— Pai, o que aconteceu de verdade com o vovô Niall?

— Ninguém gosta de falar sobre isso, você sabe.

— *Eu quero* falar sobre isso.

— E eu não quero. Agora pare de enrolar e fique em pé.

Finn quase havia conseguido recuperar o fôlego, mas continuou a arfar pesadamente para ganhar mais alguns momentos de descanso.

— Talvez eu não lute com elas quando chegar a minha vez — disse ele.

— O quê?

— Talvez sejam as lutas que façam as Lendas continuarem a voltar, sabe? — disse Finn, seu corpo ficando desagradavelmente úmido conforme ele percebia que estava pisando em ovos. — Talvez falar com elas não seja uma ideia tão ruim.

— Que parte do "ninguém gosta de falar sobre isso" é difícil para você entender?

— Talvez possamos aprender alguma coisa com isso.

O pai se agachou para encarar Finn diretamente, e fez isso até que os olhos do filho quisessem pular das órbitas e sair correndo. Por fim, o pai disse:

— O que meu pai fez não é algo que um dia poderei esquecer, não importa quanto eu tente. Essa é toda a lição que temos de aprender.

Ele estendeu a mão para Finn:

— Agora vamos lutar de novo.

— Mas isso será necessário? — perguntou Finn. — Os portais estão sumindo. Eles vão desaparecer daqui também em algum momento. Além disso, temos Dissecadores. Por que eu preciso aprender essas coisas?

— Você deve ter notado que as Lendas ainda não se foram.

— Então, por que as Lendas continuam atacando aqui e em nenhum outro lugar?

— Não sei. O que você acha?

Finn refletiu sobre a questão por um momento.

— Acho que assustei os maiores.

Seu pai sorriu, estendeu uma mão e ajudou Finn a ficar em pé. Depois pulou para trás.

— Certo, demolidor, lute comigo.

O suspiro de chateação de Finn foi abafado pela algazarra de um alarme que sacudiu a casa. Aquele barulho havia sido a trilha sonora da vida de Finn, o sinal de que um portal havia se aberto em algum lugar de Darkmouth.

— Excelente — disse o pai, ficando alerta no mesmo instante. — Quem precisa de treinamento quando se tem uma Lenda de verdade para nos ajudar? Além disso, se tivermos problemas, basta virar para a Lenda e olhar como está me olhando agora. Isso vai assustá-la.

Finn mordeu com força seu lábio inferior.

O pai sorriu.

— Sim, assim mesmo.

14

Broonie atravessou a passagem e emergiu em um mundo de chuva.

A primeira coisa em que reparou não foi o cenário, mas o ar. Tinha uma pureza que era revigorante. Pelo menos, tinha uma pureza depois de ele conseguir farejar através das muitas impurezas que estavam acumuladas por cima dela: comidas gordurosas, combustíveis queimados, algas, flores morrendo, tudo coberto por tons de suor cobertos por perfume. Tudo era carregado pela brisa e através da garoa.

No entanto, por baixo daquilo, o ar era tão fresco que Broonie queria bebê-lo.

Por onde ele olhava havia uma vibração que ele nunca tinha experimentado. Cada cor tinha tom sobre tom; até mesmo os cinzas explodiam em um espectro.

Esse era o Mundo Prometido. Era por isso que séculos de guerras tinham sido travados. Ele agora entendia.

Estava em uma rua de Darkmouth. *Tão organizada*, ele pensou. *Flores crescendo em cestas no ar, novidade. Números nas portas, curioso. O chão é pintado com retângulos e veículos são abandonados neles. Estranho.*

Broonie se sentiu sujo com seus trapos sem graça cheios de crostas do seu sangue. Viu que estava coberto por uma fina camada de poeira, que parecia resistir à chuva. Em vez disso, ela caía conforme ele se mexia nervoso no mesmo lugar tentando decidir o que tinha de fazer em seguida. Haviam lhe contado sua missão. Ele ainda não entendia exatamente o que era.

— Quando você os vir, pode atacar — disseram os Fomorianos.

— Atacar?

— Atacar.

— Eu não deveria levar uma arma maior comigo? — perguntara ele, erguendo uma pequena faca que haviam lhe dado.

— A melhor arma é sua criatividade — responderam eles.

— Embora eu goste do elogio, não tenho certeza se vai ser o suficiente para…

Nesse momento, uma bota o chutou através do portal ondulante.

Havia uma dor constante no local onde seu dedo tinha sido removido e substituído, sem nenhum cuidado, por um novo, feito de cristal. Ele parecia solto na articulação. Mesmo com toda a descrença e dor, ele estava incomodado com o artesanato de má qualidade dos Fomorianos.

Uma humana mais velha com um lenço na cabeça cruzou seu caminho carregando um tipo de sacola quadrada cheia de provisões. Quando o viu, ela gritou e saiu correndo, deixando o conteúdo da sacola se esparramar aos pés dele. Broonie inspecionou os itens. Estava desesperadamente faminto e bebeu ruidosamente uma caixa de leite, depois mordeu um ovo e sugou seu suco. O sabor era tão fresco que ele estremeceu de prazer. Procurou mais um pouco na sacola e se retraiu. Dentro de um pacote transparente havia carne. Ensanguentada. Bem cortada.

Essas pessoas devem ser mais cruéis do que nos ensinaram. Até os idosos carregam partes cruas das suas presas.

Era hora de correr.

Ele se deslocou com dificuldade pelo labirinto de ruas sem saída e becos fechados de Darkmouth, não conseguindo achar um caminho livre.

Ao virar em uma rua ampla, encontrou a multidão de humanos que se movia pela cidade. Um reparou nele e seu berro agudo alertou os outros. Um pequeno animal peludo na ponta de uma coleira ficou doido, ameaçando e rosnando até Broonie lançar sua faca contra ele, espetando a criatura na pata, de forma que ele gritou e recuou, sangrando.

Seu dono o chutou, e Broonie o golpeou por impulso também, cortando seu tornozelo, antes de pular para trás até a pista, onde se ouviu o guincho horrível de uma máquina, conforme o veículo de metal em movimento freava à distância de apenas um fio de cabelo do rosto dele.

Com a adrenalina correndo por suas veias negras e saltadas, Broonie disparou pela entrada mais próxima e se agachou do lado de dentro de uma grande janela enquanto tentava pensar em uma rota de fuga. Do lado de fora, a cena era caótica. Algumas pessoas se afastaram correndo, enquanto outras observaram o recém-chegado com cada vez mais nojo e depois seguiram os demais.

Broonie percebeu algo acima dele. E atrás dele. E em volta dele.

Carcaças, esfoladas até a carne, estavam penduradas em ganchos afiados. Rasgadas, cortadas e colocadas em exposição. Costelas, fígados, línguas, todos os tipos de pedaços de animais estavam dispostos com cuidado atrás de um compartimento de vidro. Broonie imaginou que fossem vítimas recém-caçadas do humano gordo em pé atrás do balcão de vidro, com um avental manchado de sangue, uma mão em um grande cutelo e outra em um corpo meio fatiado posto em uma mesa ao seu lado.

Se Broonie tivesse arregalado os olhos ainda mais, eles teriam saltado para fora e rolado pelo chão até os pés do açougueiro.

Na rua, ouviu-se o guincho de metal, um grande rugido e outro veículo de metal chegou atravessando a multidão de humanos, que seguia na direção oposta. Uma figura emergiu dele, alta e impressionante, completamente vestida em uma armadura e empunhando uma arma.

Broonie soube no mesmo instante quem era.

O Caçador de Lendas.

— Um Hogboon — ele ouviu o Caçador dizer claramente. — Não chega a ser um desafio, em especial se estiver portando algo que quase não passa de um descascador de maçãs.

Broonie saltou para o açougueiro, estremecendo com as manchas de sangue nas roupas, e prendeu-se em volta da cabeça dele com força, agarrando com firmeza no rosto até ele soltar o cutelo, que fez barulho ao cair. Broonie então baixou para os ombros do açougueiro, segurando sua faca ensanguentada no pescoço dele quando o Caçador de Lendas entrou com violência na loja, a arma erguida.

— Hugo… — choramingou o açougueiro.

— Não se preocupe, Leo, vamos resolver isto logo.

Da garganta seca, Broonie buscou a melhor voz rouca que conseguia:

— Vocês são uma espécie cruel. Deixe que eu vá embora ou vou mostrar o quanto posso ser cruel também.

— Você quer que eu baixe este Dissecador?

— Agora — disse Broonie, apertando mais a faca.

Seu medo de ter de ir em frente com sua ameaça foi superado pela ideia de ter suas entranhas penduradas naquela vitrine enquanto sua pele passaria o restante dos tempos como um confortável par de sapatos.

— Se eu baixar a arma, você não vai machucar esse homem? — perguntou o Caçador de Lendas.

— Juro pela alma apodrecida do meu tio.

— Vou baixar a arma. — Ele se curvou e colocou-a no chão. — Mas com uma condição.

— Que é?

— Que você olhe para trás.

Broonie virou o olhar. Lá, em uma porta dos fundos, estava outro humano de armadura, muito menor, bem menos imponente, mas com uma arma apontada bem para a sua cabeça.

— O menino? — murmurou o Hogboon bem quando um grande pedaço de carne bateu na lateral da sua cabeça e o jogou no chão, a faca escorregando do seu aperto.

O açougueiro saiu correndo pela porta, em segurança.

O Caçador de Lendas parou perto do Hogboon, o Dissecador apontado para ele.

Houve um *blip* vindo de algum lugar. Depois, outro. *Blip*. *Blip*.

Ao perceber que o som vinha de alguma parte de si, o Caçador de Lendas bateu a mão pelo traje de luta até encontrar um bolso onde havia um aparelho retangular, que ele tirou e examinou.

— O escâner identificou outro portal aberto, perto da enseada.

Silêncio. Nenhum *blip*.

— Espere, desapareceu de novo. Estranho. De qualquer forma, onde estávamos?

O menino se aproximou do Caçador de Lendas, ficando perto de Broonie também, levantando o visor para olhar melhor.

— Ele parece ferido, pai.

— É claro que ele está ferido, Finn.

— A gente deveria ajudar?

— Ajudar? *Ele?* Vamos atirar nele — insistiu o Caçador de Lendas, parecendo exasperado.

— Mas ele só está deitado aqui — disse o menino.

— Então, o que fazemos com ele? Levamos para casa para tomar chá e comer biscoitos? Não, vamos dissecá-lo. *Você* o disseca. Aqui está a sua chance de uma primeira caçada confirmada.

O menino parecia desolado.

— Isso simplesmente não parece certo.

— Pare de tagarelar agora, Finn, e faça.

— Espere! — exclamou Broonie.

Os humanos prestaram atenção nele. Broonie apontou para o menino, acalmou-se e recitou as palavras que lhe passaram.

— Eu tenho uma mensagem — disse. — As Lendas estão se erguendo. O menino cairá.

Depois, o Caçador de Lendas atirou nele.

15

Finn viu ao mesmo tempo que seu pai. Um diamante, girando até parar ao lado da dura bola de couro que apenas alguns segundos antes fora um Hogboon. Esse era menor do que aquele que Finn havia pegado depois do encontro com o Minotauro, porém mais afiado.

O pai jogou a bola casualmente para Finn, que fez malabarismo com ela antes de conseguir segurá-la contra o peito e, depois, apertou o código do recipiente que tinha na mão e a colocou lá dentro. Enquanto isso, o pai havia pegado o diamante e o estava analisando em silêncio.

— O que era aquilo? — perguntou Finn.

— Algum tipo de diamante — respondeu o pai devagar.

— Não. Quero dizer, o que ele falou? Sobre mim?

— Ele não falou nada sobre você.

— Falou, sim. Ele olhou para mim e disse "o menino". Ele não estava olhando para você naquela hora. Com certeza era eu. E ele disse que eu sucumbiria.

— Era sobre todos nós.

— Não, foi como se ele me reconhecesse.

— Talvez você seja uma grande celebridade no Lado Infestado — comentou o pai. — Ele deve tê-lo tirado no álbum de figurinhas de

Caçadores de Lendas. Era só um truque, Finn. Uma tática para nos atrasar. Dê uma mão para essas Lendas e elas vão pegar o braço inteiro.

Os dois sabiam que aquilo acontecera literalmente assim no infame caso de Graham, o Maneta.

A faca de Broonie — uma peça sem graça, quase incapaz de cortar papel — permaneceu onde caíra. Finn a pegou e entregou a seu pai, que não estava nem um pouco interessado.

— Isso não importa. Este cristal é mais importante — disse o pai, estudando-o. — Você viu o Dissecador engoli-lo bem, não viu? Então, por que isto ficou para trás?

— Ele deve ter se esquivado no último momento.

— Eu não poderia estar mais perto dele. Ele não se mexeu.

Finn deu de ombros, baixou o olhar, tentou não entregar o que já sabia. O Minotauro havia sido atingido em cheio pelo Dissecador, e, igualmente, um cristal tinha ficado para trás. Ele deveria ter contado ao seu pai da outra vez. Deveria contar a ele agora. Mas ele achava que o seu pai iria dissecá-lo ali mesmo se descobrisse que Finn estava escondendo na gaveta de cuecas uma pedra preciosa oriunda do Lado Infestado.

— Isto —, continuou seu pai, ainda se concentrando na joia — é a primeira coisa que vejo resistir intacta à rede do Dissecador. Com certeza estava na mão dele. Eu vi, no lugar onde o dedo mínimo deveria estar, mas supus que fosse algum tipo de adorno. Hogboons são mendigos, ladrõezinhos. Ele deve ter perdido o dedo em algum momento e usado isto como um dedo artificial.

— Tem certeza de que é um diamante? — perguntou Finn.

Seu pai o virou na mão.

— Não sei, Finn. Mas tem alguém que vai saber.

16

A loja ficava escondida em uma das vielas mais estreitas de Darkmouth. Finn estivera lá antes, mas não desde que era mais novo, quando era levado pelo pai e deixado esperando do lado de fora, no degrau, onde a tinta desbotada descascava da fachada em flocos grossos e afiados. Finn nunca havia estado lá dentro.

As letras vermelhas da placa sobre a porta haviam quase, mas não inteiramente, desaparecido. Diziam:

Especialidades? Nada naquela loja parecia especial do lado de fora. Sua vitrine estava coberta de sujeira e, olhando para dentro, era visível que a loja transbordava de uma mistura de coisas: partes de aparelhos eletrônicos antigos; entranhas de televisores; restos de torradeiras; vísceras expostas de tocadores de CD. A bagunça derramava-se na ruazinha em frente à loja, onde havia caixas de papelão cheias até o topo com itens como pequenos fusíveis, cabos com plugues, rádios velhos já muito usados e telefones antigos.

O pai de Finn parou à porta, agachando-se para procurar em uma caixa.

— Adoro esta loja — disse ele ao se levantar com o que parecia um antigo e empoeirado jogo de computador nas mãos. — Não se acha mais deste tipo.

— Eu me pergunto por quê — comentou Finn com tanto sarcasmo quanto era possível, caso não tivesse ficado óbvio.

— Você ficaria surpreso com o que pode encontrar se souber onde procurar — retrucou o pai, com um toque de divertimento na voz.

Ele atirou o aparelho para Finn.

— Vamos. Já está na hora de você ser adequadamente apresentado ao meu velho amigo.

Finn sentiu um brilho de excitação enquanto seguiu seu pai. Ele nunca atravessara a soleira da porta; em vez disso, tinha memórias de ficar na calçada do lado de fora, ou de brincar pela rua, mal conseguindo enxergar as silhuetas que se moviam do lado de dentro. Seu pai cumprimentando outro homem, uma discussão abafada, um olhar ocasional na direção de Finn antes de eles desaparecerem.

Agora, finalmente no interior, a excitação deu lugar à decepção. Ele percebeu que era tão bagunçado quanto o exterior indicara. Aros de fios estavam pendurados nas paredes, telas separadas do restante do corpo balançavam do teto e torres vacilantes de aparelhos de DVD empoeirados oscilavam no chão.

— O que você quer por um desses antigos jogos de Invasores do Espaço? — perguntou o pai de Finn, alto.

— Um pouco de pão seria bom — veio como resposta.

Um homem apareceu atrás de um balcão. Finn não reparara nele em meio à bagunça. Ele nem notara o balcão.

— Os negócios estão tão ruins assim, meu velho? — continuou o pai de Finn.

O dono da loja resmungou. Ele parecia tão acabado quanto os aparelhos eletrônicos espalhados pelo lugar. Os cabelos escuros e despenteados pendiam como espaguetes negros por detrás das orelhas, seu terno estava desfiando nas pontas e seus dedos eram do mesmo amarelo dos jornais velhos.

— Bem, posso ter algo de interessante para você, Glad — contou o pai de Finn, colocando o diamante com delicadeza em cima do balcão.

O Sr. Glad não prestou atenção; em vez disso, manteve o olhar fixo em Finn.

— Seu menino cresceu, Hugo. Eu não o vejo desde que era pequeno, sempre esperando lá fora. Bem, desde que ele era menor do que é hoje. Deixe-me dar uma olhada nele.

Ele estendeu as duas mãos e agarrou Finn pela parte de trás da cabeça. Surpreso, o menino não teve certeza se corria perigo, mas não estava em uma boa situação para se sacudir e escapar. O Sr. Glad virou a cabeça dele para um lado, depois para o outro, examinando-o como um veterinário procuraria pulgas em um cão.

— Ele vai Concluir? — perguntou, como se Finn não tivesse voz própria.

O pai de Finn forçou o lábio inferior em uma tentativa de exalar confiança.

— Já fez três caçadas bem-sucedidas?

O pai de Finn balançou uma mão em um gesto de ainda-não--chegou-lá.

O Sr. Glad continuou segurando Finn por mais alguns segundos. Finn pensou que sua cabeça iria se partir como a casca de um ovo e seu cérebro escorreria para fora. Seria um alívio bem-vindo.

— Ele terá de fazer, eu suponho.

O Sr. Glad vociferou de um jeito que não mostrava muita satisfação e, depois, largou Finn, que esfregou a parte de trás da cabeça onde um machucado já estava ficando quente.

— Agora, o que é isso que você trouxe para mim? — perguntou o Sr. Glad, pegando o objeto e observando-o.

— Não tenho certeza — disse o pai de Finn —, mas parece um diamante. Um Hogboon passou por um portal agora há pouco e o deixou para trás.

— Onde está esse Hogboon agora?

— No carro, fazendo uma boa imitação de uma pedra.

— Ele não disse nada?

— Ele não teve chance.

— Seu pai é um homem e tanto — comentou o Sr. Glad, dirigindo-se a Finn. — Eu o conheço desde que éramos meninos. E a sua mãe também. Todos nós crescemos nesta cidadezinha abandonada. Ele seguiu seu caminho, eu segui o meu.

Finn escondeu a surpresa por saber que seus pais e o Sr. Glad eram da mesma idade. O tempo os havia tratado de jeitos bem diferentes.

— Seu pai fez algumas coisas extraordinárias, mesmo quando nós éramos jovens — disse o Sr. Glad. — Ele já contou a você sobre o dia em que lutou...?

— Sim — disse Finn, impaciente e cansado, pois já havia escutado as mesmas histórias muitas vezes.

— E a vez em que ele inventou...?

— Essa também.

— Bem, então, estamos de acordo.

O Sr. Glad se virou e atravessou uma cortina de miçangas.

Antes de segui-lo, o pai de Finn parou e se abaixou até o filho.

— Você quer saber o que são aquelas "especialidades"? Está na hora de descobrir.

Ele empurrou as miçangas de lado e fez um gesto para Finn passar. No quarto dos fundos, para surpresa de Finn, havia ordem. Não era necessariamente asseado, nem era mais claro ou mais alegre do que a loja, mas, ainda assim, quando Finn olhou com mais atenção, começou a ver uma forte aparência de organização. Tinha um piso que podia ser visto e sobre o qual era mesmo possível caminhar sem medo de cair sobre um gravador de fitas fossilizado. Havia até uma cama, de confecção rústica, no canto.

Foi o equipamento, porém, que prendeu mais a atenção de Finn.

Uma parede estava forrada de escudos de vários tamanhos, alguns com espetos organizados ao redor da borda ou saltando do meio. Em outra, estavam penduradas partes de armaduras: um peitoral, um par de perneiras de ferro e uma proteção de aço que Finn sabia ser especialmente importante para resguardar partes vitais dos Caçadores de Lendas homens. Nas prateleiras havia uma variedade de objetos, inclusive gatilhos, alças, tubos, pequenas caixas com fios largos e caixas largas com fios pequenos.

Especialidades, pensou Finn.

Sua atenção foi atraída pelo que parecia um longo garfo, com dois chifres e uma lâmina menor projetando-se entre eles. O Sr. Glad pareceu ter percebido o interesse do menino e entregou o objeto para ele olhar mais de perto.

— É um Extrator de Dentes — explicou ele. — Se você for mordido por uma Lenda, não vai querer deixar nenhum dente perdido em você. Veneno, entende? Ele vai aos poucos rastejar para dentro da sua pele e impregnar-se profundamente no tecido. Depois, vai apodrecer e comer sua pele, e você será deixado em uma agonia terrível por horas, ou dias, a menos que...

O Sr. Glad inclinou-se para Finn.

— *Schlup!* Você o tira com um destes. Dá um bom alívio quando você faz isso. Confie em mim.

Ele puxou o cabelo para trás da orelha esquerda. Finn pôde perceber as extremidades de uma cicatriz na têmpora. Era profunda e circular, com furinhos de cada lado.

Ele olhou para as pontas do Extrator de Dentes e depois novamente para a cicatriz.

O Sr. Glad deixou o cabelo cair de novo sobre a orelha e se afastou.

Finn olhou para o pai e ergueu a sobrancelha em uma interrogação silenciosa.

— O Sr. Glad é o que conhecemos como Reparador — disse seu pai.

— O que você repara? — perguntou Finn.

— O que você precisar — respondeu o Sr. Glad, em tom conspirador.

— O Sr. Glad é Reparador há muito tempo, Finn — disse o pai. — Um dos melhores.

— E um dos últimos — acrescentou o Sr. Glad, sentando-se em uma cadeira enferrujada diante de uma grande escrivaninha contra a parede. — Civis não podem se tornar Caçadores de Lendas, mas alguns de nós encontramos maneiras de sermos úteis. Viajando pelas Vilas Flageladas, fazendo armas, consertando equipamentos, fornecendo materiais. Não é o que se pode chamar de uma função oficial. Os Doze gostam de nos manter escondidos, como você pode ver.

Ele fez um gesto ao redor de si.

Finn encarou o Sr. Glad, tentando decidir como reagiria. Ele sentiu que o pai observava sua reação desejando que fosse positiva.

— Interessante — disse Finn, pois avaliou que deveria dizer algo.

O Sr. Glad abriu uma gaveta de madeira e tirou um microscópio de latão. Colocou-o na escrivaninha e abriu a tampa das lentes antes de dar uma examinada rápida nele.

— Eu costumava andar bastante por aí. Foi a melhor época. A mais sangrenta e tudo o mais — contou ele. — Em breve, pode ser que nenhum de nós seja necessário para ninguém. A menos que você tenha planos de nos manter neste trabalho.

Ele parou por um momento, antes de bater nos joelhos em um gesto inesperadamente alegre.

— Mas esse é o pequeno preço de uma grande vitória! Agora, vamos dar uma olhada neste diamante ou o que quer que seja, antes de sermos devorados pela nostalgia.

O Sr. Glad colocou a ponta do cristal bem embaixo das lentes. O único som era o da sua respiração enquanto ele o analisava.

— Bem, não é um diamante, posso dizer a vocês agora mesmo — anunciou ele, recostando-se e convidando o pai de Finn para dar uma olhada. — Não acredito que diamantes dancem assim, e você?

17

O pai de Finn apertou os olhos nas lentes e, depois, fez um gesto para Finn se aproximar, para que ele também pudesse dar uma olhada. Bem profundos, dentro das arestas do cristal, Finn conseguia ver fios de luz branca pura projetando-se graciosamente pelas lentes. Era muito bonito.

— Não tenho certeza do que é, mas é novidade em Darkmouth — disse o Sr. Glad.

— Novidade? — disse Hugo, como se a palavra tivesse um gosto ruim. — Quando se trata de Lendas, novidades nunca são boas.

— Nunca. Na maioria das vezes — comentou o Sr. Glad.

Finn baixou os olhos para seus pés, pensando no primeiro cristal que encontrara, aquele que estava, neste momento, enfiado na sua gaveta de cuecas.

— Este foi o único que atravessou, Hugo? — perguntou o Sr. Glad enquanto o pai de Finn dava outra olhada.

— Sim.

— Tem certeza?

O Sr. Glad estava olhando para Finn, que sentiu uma onda de culpa. Os olhos dele eram como um microscópio na consciência do menino.

— Sim — respondeu Finn, tentando não deixar que o timbre da voz o traísse.

— Bem, então — disse o Sr. Glad, rompendo o contato visual com Finn aos poucos. — Vou ficar com isto, se estiver o.k. para você, Hugo, e fazer alguns testes.

— Por mim, tudo bem — respondeu o pai de Finn, o punho apertado contra o queixo enquanto pensava nessa reviravolta indesejada no que deveria ter sido uma caçada comum.

— Também houve outra coisa. Outro portal.

— O que você está dizendo? — perguntou o Sr. Glad.

— Um segundo portal abriu enquanto estávamos lidando com o Hogboon. Foi só um portal pequeno, a julgar pelo escâner, e não ficou aberto por mais que alguns segundos. Nenhuma Lenda poderia ter passado.

O Sr. Glad esfregou o tufo da sua barba com as costas da mão.

— Eles podem ter tentado entrar de outra forma, mas alguma coisa deu errado. Não aconteceu muito disso recentemente, mas não é algo que nunca ocorreu, abrir mais de um portal ao mesmo tempo. Lembra aquele ano de peste que tivemos?

— É claro. Ainda estou tirando as manchas do meu traje de luta — disse Hugo. — Mas esse tipo de coisa não acontece em Darkmouth há anos.

Um silêncio caiu na sala, quebrado apenas pelo tilintar de instrumentos pendurados balançando na loja em frente.

— Ah, mais uma coisa, Glad — começou o pai de Finn, parecendo lembrar-se de algo importante de repente. — Há alguns pedaços e peças que eu preciso pegar com você para um projeto sobre o qual estou querendo conversar. Finn, dê uma olhada por aí. Vai levar só um minuto.

Finn vagou pela sala enquanto o pai e o Sr. Glad seguiram com seus negócios. Ele fingiu não estar interessado no que eles estavam falando, mas ficou com um ouvido ligado na conversa. Infelizmente, só conseguiu escutar fragmentos.

— … progresso… — ele ouviu o pai dizer.

— … fonte de energia… — ele ouviu o Sr. Glad dizer.

— … fechar permanentemente…

— … muitíssimo perigoso…

— … os repolhos do burro…

Finn perguntou-se se poderia ter entendido errado aquele último.

Ele continuou a explorar a sala. No canto, havia algumas lanças compridas que ele reconheceu de uma das pinturas mais desbotadas do Longo Corredor da sua casa. Espiando por trás das lanças, Finn reparou, no rodapé da parede, em um certificado com moldura de madeira no qual ele só conseguiu ver as palavras "do Reino Escondido".

Finn passou as mãos pelo topo de um longo balcão que estava cheio de objetos que ele não reconheceu. Ele pegou um metálico e verde com a forma de um ovo e o chacoalhou um pouco.

— Olhe, mas não toque — preveniu o Sr. Glad, aparecendo de repente ao lado dele e agarrando o objeto da mão de Finn. — Você não quer sair daqui com menos dedos do que quando chegou, e eu não quero ter que limpar a sua bagunça. Isso se chama Granada Sem Dedos.

Ele a apertou e fileiras de lâminas serrilhadas saltaram de cada ponta; uma delas fez um pino se projetar do topo.

— Tem esse nome porque é você quem acaba sem dedos se segurar errado. Dê uns dez segundos e vai explodir.

Ele apertou o pino de volta antes que acontecesse.

— Talvez os seus pais comprem uma para você de Natal. Como está a sua mãe, a propósito?

— A Clara está bem, obrigado por perguntar — interrompeu o pai de Finn.

— Nós nos conhecemos há muito tempo, meu jovem — disse o Sr. Glad a Finn e, depois, piscou para ele. — Há mais tempo que seu pai.

Finn agora queria ir para casa.

Eles saíram, com o pai de Finn carregando algumas peças de máquinas. Ele as jogou na parte de trás do carro junto com a Lenda dissecada.

— A gente não deveria perguntar para o Hogboon para que serve o diamante? — Finn quis saber.

— Não é um diamante, e não podemos confiar nele.

Finn se sentia nervoso. O fato de o Hogboon parecer tê-lo identificado ainda o incomodava, mas ele também sentia uma obrigação cada vez maior de dizer ao pai que havia outro cristal, provavelmente com as mesmas propriedades curiosas do cristal do Hogboon, guardado no seu quarto.

— O que você acha do Sr. Glad? — perguntou o pai enquanto eles iam para casa.

Finn fez uma careta.

— Acho que vou sentir os dedos grossos dele na parte de trás da minha cabeça por mais uma semana.

— Ele é um bom homem, mais ou menos uma Lenda do seu jeito. Você viu aquela placa na sala dele? É o Subcavaleiro Honorário do Reino Escondido, a maior honra que um civil pode receber do Conselho dos Doze. Ele não a conquistou por dedicar a vida inteira a consertar as torradeiras dos Caçadores de Lendas. Ele a mereceu, assim como mereceu aquela cicatriz.

Eles viraram para a rua deles enquanto o pai continuava.

— Quando você precisa de alguma coisa, ele sempre tem, ou sabe como conseguir. E você *sempre* vai precisar de alguma coisa, Finn.

O carro se aproximou da casa deles e, conforme chegavam mais perto, os dois viram as palavras ao mesmo tempo. Visitantes haviam passado enquanto eles estavam fora. E tinham deixado uma mensagem.

O pai de Finn diminuiu a velocidade do carro e baixou o vidro para poderem examiná-la.

Na parede do lado oposto da rua em relação à porta deles, sob a luz laranja do poste, havia uma pichação de quase dois metros de altura. Estava bastante fresca, de forma que a tinta ainda escorria devagar pelo concreto. Dizia:

PAREM OS MONSTROS

Eles saíram do carro e ficaram em pé em frente à casa, as mãos nos quadris. Finn viu que o olhar do pai não estava na pichação, mas em algum lugar acima do muro e além.

— Finn, você está com a sensação…?

Ele não terminou a frase. Em vez disso, levou o recipiente do Dissecador e suas peças avulsas recém-adquiridas para dentro da casa, depois voltou com uma lata de tinta branca e dois pincéis. Ele entregou um para Finn e os dois partiram para o trabalho, cobrindo a pichação.

Do *Guia Conciso do Mundo dos Caçadores de Lendas, Vol. 3: "Vilas Flageladas, conhecidas e desconhecidas"*, 16ª edição.

Há muitas teorias sobre o motivo de os portais entre o Lado Infestado e este mundo terem se tornado tão raros.

Alguns acreditam que as Lendas ficaram cansadas das tentativas malsucedidas de invasão e se retiraram para o seu próprio mundo para ponderar sobre o erro do seu comportamento e reconhecer a clara superioridade dos humanos, como os do clã de Caçadores de Lendas de Sepultópolis, no Brasil. Essa teoria é um pouco enfraquecida pelo fato de ter sido um trabalho exclusivo do clã de Caçadores de Lendas de Sepultópolis.

Outra ideia é que a atmosfera entre os mundos tenha engrossado tanto que não pode mais ser penetrada. As razões sugeridas para isso incluem a poluição industrial, o aquecimento global, a radiação dos telefones celulares, as erupções vulcânicas na Islândia e o metano liberado pelas, digamos, "emissões" das vacas.

Relatos extraídos a conta-gotas nos interrogatórios dos invasores cada vez mais raros nos informam que a habilidade das Lendas de atravessar o muro entre nossos mundos diminuiu nos últimos anos por razões que nem elas mesmas entendem por completo. Devemos destacar, entretanto, que existem algumas dúvidas sobre a veracidade de tais revelações, já que as transcrições mostram que elas são pontuadas por sentimentos como "por favor, o aparelho de punhaladas de novo, não!".

18

Finn acordou, piscando contra a luz do sol, que atravessava um espaço entre as cortinas do quarto e atingia diretamente seus olhos. Bem lá embaixo na casa ele podia ouvir o som de perfuração de novo. *Scriiiump.* Uma pulsação. Depois outra. Depois silêncio.

Ele enfiou os pés em um par de pantufas muito grandes com a forma de ursos cinzentos e se arrastou até o andar de baixo, encontrando a mãe a caminho dos seus atendimentos odontológicos das manhãs de sábado.

— Bom dia, mãe — disse ele, reprimindo um bocejo.

— Eu queria que fosse, Finn — disse ela. — Estou cansada. Aquele barulho me acordou cedo. Por sorte, uma manhã ocupada examinando as cáries apodrecidas das pessoas vai ser tudo de que preciso para me animar.

Ela pegou as chaves e saiu. Um instante depois, a campainha tocou.

— O que você esqueceu, mãe? — perguntou Finn ao abrir a porta.

— Bonitas pantufas — disse Emmie. — Você os matou em uma caçada?

Finn meio que se escondeu atrás da porta, enquanto Emmie esperava do lado de fora, pulando no mesmo lugar para se manter aquecida na manhã fria. Por fim, ela virou para ele um olhar que dizia "você não vai me deixar entrar?".

Ele a deixou entrar. Depois, disparou escada acima para vestir roupas adequadas. Reabriu a porta do quarto e a encontrou parada logo do lado de fora.

— Como é o seu quarto, Finn? — perguntou ela, passando direto por ele para ver por si mesma.

— Uau, eu achei que o *meu* quarto fosse bagunçado.

Ela viu o peixinho dourado e deu uma batidinha no aquário.

— Qual é o nome dele?

— Bolhas — respondeu Finn. — Eu era mais novo quando o ganhei — acrescentou ele em resposta à risadinha de Emmie.

— O que você está lendo? É *A Vida Grandiosa?*

Ela precisou usar ambas as mãos para segurar o grande livro, mas outro livro, menor, caiu do meio de suas páginas.

Antes de Finn conseguir pegá-lo, ela já o havia agarrado.

— *Então Você Quer Ser Veterinário* — ela leu. — Você quer ser veterinário?

— Não. Sim. Talvez.

— Você não deveria estar, sei lá, *matando* criaturas em vez de enrolá-las em curativos?

Ela devolveu o livro para ele.

— Tipo, eu não vi muitos estetoscópios naqueles retratos lá embaixo — comentou ela, agora xeretando as coisas que estavam no parapeito da janela dele.

— Talvez eu não vá ser igual a todos os outros daquela parede — sugeriu Finn.

— Mesmo? Pensei que você não tivesse escolha. Sabe, filho único do único Caçador de Lendas e tudo o mais.

— É, bem, talvez seja porque…

Finn estava se esforçando para encontrar palavras para se explicar. Ele nunca falara sobre isso antes.

— O quê? — Emmie o incentivou.

— Às vezes parece que eu poderia ser um tipo diferente de Caçador de Lendas. Tipo, estou aprendendo tudo sobre essas criaturas incríveis, mas a única coisa que devo fazer é lutar com uma quando a vejo. Poderia haver outra forma de lidar com elas que não significasse machucar. Tipo, minha mãe faz isso com as pessoas. Ela ajuda com os dentes delas, quero dizer. É a mesma coisa, na verdade, só com animais diferentes.

— Caçador de Lendas *e* veterinário — disse Emmie. — O que seu pai acha disso? Pelo que você me disse sobre ele, imagino que ele não esteja muito feliz.

O silêncio de Finn lhe deu a resposta.

— Desculpe — disse ela e, depois, mudou de assunto, pegando o bichinho de pelúcia de oito pernas do parapeito da janela. — Isto parece bem perigoso. Ele tem presas fofinhas e tudo o mais.

Finn precisava de algo para resgatar seu orgulho e, assim, disparou:

— Tenho uma coisa melhor do que isso.

Ele abriu uma gaveta, escondeu as cuecas o melhor que pôde, desenrolou o cristal e o estendeu para ela. O sol baixo da manhã refletiu nele em uma dúzia de direções. Os olhos de Emmie se arregalaram.

— Me deixe segurar.

Ele o deu para ela e ela o virou nas mãos, passou os dedos pelas arestas, sentiu sua leveza surpreendente.

— Veio de uma Lenda — disse Finn. — Você está segurando uma parte de outro mundo.

Com isso, ela se sobressaltou um pouquinho, e sua aprovação deu a Finn uma dose de confiança.

— Como chegou aqui? — perguntou ela.

— Estava no nariz de um Minotauro.

— Nojento! — exclamou ela, deixando o cristal cair na cama dele.

De algum lugar da casa, ele ouviu passos pesados. Finn agarrou o cristal de volta e jogou-o na gaveta.

— Belas cuecas — exclamou Emmie.

O momento de triunfo de Finn foi perdido de novo.

— Vamos — disse ele, levando-a para fora novamente. — É melhor eu comer. Acabei de me levantar.

Quando eles chegaram ao andar de baixo, os painéis da porta estreita levando ao Longo Corredor brilharam ao mesmo tempo e, com um *clanc*, ela se abriu. O pai de Finn emergiu carregando nos braços o que parecia ser metade de um aspirador de pó, os fios expostos pendurados abaixo da cintura.

— Olá — disse ele, ainda passando pela porta, claramente surpreso por ver uma estranha ali.

— Pai, esta é a Emmie, minha menina nova, ahn, amiga nova da escola.

— Sua menina?

— Não — Finn disparou de volta. — Amiga.

— Não ligue para ele — disse o pai de Finn. — Ele é muito mal-humorado pela manhã. É um prazer conhecê-la, Emmie.

— Olá, senhor…

Ela parecia estar com dificuldade para saber como se dirigir a ele, como se "Sr. O Grande" não soasse muito bem. Finalmente, decidiu:

— Olá, pai do Finn.

— Hugo está legal.

Legal?, pensou Finn.

— Então, o que as crianças estão aprontando? — perguntou o pai.

Crianças? Finn teria ficado feliz se o mundo inteiro o deixasse em paz nesta manhã, mas o desaparecimento do pai seria um ótimo começo.

— Vamos, Emmie — disse Finn, começando a ir para a cozinha com a esperança inútil de que poderia encurtar essa conversa.

— O que trouxe sua família para Darkmouth, Emmie? — perguntou o pai de Finn, reajustando a posição das peças do aparelho que carregava, até parecer que as embalava como um bebê.

— Trabalho. O trabalho do meu pai. Somos apenas ele e eu.

— O que ele faz?

— É consultor. Coisas tecnológicas — respondeu ela, puxando com uma mão a franja que caía para a frente. — Não entendo muito bem.

— Coisas tecnológicas? Como computadores?

— Linhas telefônicas, eu acho.

O pai de Finn assentiu com a cabeça.

— Parece fascinante. O Finn contou a você o que eu faço?

O cérebro de Finn estava gritando para ele *pare de falar agora mesmo neste exato instante.*

— Estou na área do que você poderia chamar de controle de pragas.

Chega, pai!

— É — disse Emmie, com a energia recuperada. — Eu já sabia de tudo.

— É mesmo?

— Ah, sim, de livros e tal.

— Livros? — perguntou o pai de Finn, curioso.

— Bem, o livro do Finn. Lá em cima. E do Finn também. Ele me contou isso.

Finn tentou adivinhar se parecia tão constrangido quanto se sentia.

— De qualquer forma, bem-vinda a Darkmouth, Emmie — disse o pai dele. — Não deixe que os percevejos piquem você.

Percevejos, ai, meu Deus.

— Finn, preciso sair para mostrar uma coisa para uma pessoa. Você fica bem sozinho?

Para mostrar quão doloroso isso era para todos eles, Finn revirou tanto os olhos que quase conseguiu enxergar dentro do próprio crânio.

O pai seguiu para fora de casa e Finn soltou um suspiro exagerado de alívio. Bem quando ele pensava que estava seguro, Hugo colocou a cabeça de volta para dentro.

— Finn, dê uma esfregada no seu traje de luta, certo? Está começando a cheirar como se uma família de gatos morasse dentro dele.

Emmie riu.

A boca de Finn se abriu em uma frustração silenciosa. Ele precisava encontrar alguma salvação para essa situação, e depressa. De repente, ele soube o que era.

— Quer ver uma coisa? — perguntou. — Uma coisa muito legal.

Emmie não teve tempo de responder antes que ele apertasse os painéis da porta do Longo Corredor. Ela o seguiu conforme ele disparava pelo caminho, ignorando a longa fila de retratos e seguindo direto para a porta bem no final, hesitando apenas quando chegou ao seu destino.

— Na verdade, eu não devo entrar aqui — disse, em frente à porta marcada como Biblioteca.

— Ó, tudo bem, então — disse ela e, depois, girou o pé um pouco pelo chão. — Digo, se você está com medo do seu pai, eu entendo...

Isso foi o suficiente para persuadir Finn. Ele abriu a porta.

Atrás dela havia um espaço diferente de qualquer biblioteca que alguém pudesse ter imaginado. A sala redonda era enorme, estendendo-se bem para o alto até a inclinação do teto, prateleiras cheias cobrindo quase cada centímetro das paredes.

Em alguns pontos nos limites do piso, armaduras em posição de sentido, completas, com lanças e espadas e escudos.

No centro, havia algumas escrivaninhas grandes e bagunçadas e, perto delas, duas gaiolas com a parte de cima em forma de cúpula, uma mais ou menos da altura de Emmie e outra grande o bastante para abrigar vários adultos, inclusive alguns em pé sobre os ombros dos outros. Pairando acima das gaiolas, havia um objeto largo, coberto por lençóis.

Finn ficou um passo atrás, deixando Emmie absorver tudo. Ela caminhou na direção das escrivaninhas, uma das quais tinha um computador com um protetor de tela passando uma seleção de imagens:

Um crânio com chifre.

Uma ilustração de uma mulher velha com asas de couro.

Uma foto de Finn quando bebê, sorrindo e segurando uma espada enorme enquanto o pai, rindo, balançava alguma criaturinha feroz na sua direção.

Ela andou rumo ao objeto coberto. Tinha a altura aproximada de um homem adulto e a largura de dois. Espalhados no chão em volta dele, viam-se várias ferramentas, pilhas, um ventilador elétrico, o tambor de uma máquina de lavar, uma chaleira, o que parecia ser a lâmina de um liquidificador e outros pedaços e peças. Conforme eles se aproximaram, Finn conseguiu sentir um zumbido elétrico baixo irradiando pelo chão e formigando os dedos dos seus pés.

— O que é isso? — perguntou Emmie.

Isso, provavelmente, era no que o pai de Finn viera trabalhando tarde da noite. Finn não fazia ideia do que era, mas não queria admitir. Assim, ele procurou na sua cabeça algo que fizesse parecer que ele sabia do que estava falando. Saiu como um tipo de gorgolejo.

Finn não tinha certeza se Emmie estava apenas sendo educada, mas ela ignorou a resposta covarde dele e começou a levantar o lençol para dar uma olhada. Antes de ela ir longe demais, no entanto, sua atenção foi atraída por outra coisa nas prateleiras: uma coleção de potes de vidro, de vários tamanhos e formatos.

Ela estendeu a mão e ergueu um com uma bola dura que chacoalhava lá dentro. Leu em voz alta o rótulo escrito à mão:

— *Gárgula. Adulto. Aprox. 1,52 m, Darkmouth. 13/02/1963.*

Ela pegou outro. Também continha uma bola dura, e seu rótulo dizia:

— *Grifo. 1,21 m altura, envergadura 1,82 m. Darkmouth. 01/05/1946.*

Ela verificou outro. Um "Grendel". Depois outro. Um "Goguemagogue". Ela levantou os olhos e espiou em volta. Prateleiras estavam forradas com pote após pote, de vários tamanhos e formatos, estendendo-se até o teto e até a metade do contorno da sala. Cada um continha uma bola dura, às vezes de couro, às vezes de pelos ou penas, mas quase todas eram esferas perfeitas.

— São Lendas — disse Finn. Finalmente algo sobre o que ele realmente sabia. — Décadas, talvez séculos de Lendas. Elas estão presas, recolhidas e armazenadas aqui.

Emmie pegou um pote de uma pequena mesa ao lado das prateleiras, ainda não arquivado. Finn conseguiu ver uma palavra nele: *Hogboon*.

— Elas estão vivas?

— Sim. Bem, mais ou menos. Adormecidas, na verdade.

— Deve haver centenas delas — comentou Emmie.

— Três mil e vinte e nove, para ser exato — disse o pai de Finn, parado logo atrás dela. — E não vamos querer que você seja o número três mil e trinta, não é?

19

Emmie ficou tão assustada com a chegada repentina do pai de Finn que deixou cair o pote que segurava. O pote rolou, sem quebrar, até os pés dele. Ele o pegou.

— Você não deveria estar aqui.

Finn, sem fôlego e um pouco em pânico, disparou:

— *Emmie*, o banheiro não fica aqui embaixo.

Hugo e Emmie lançaram a Finn um olhar que o fez murchar.

Finn não via o pai tão irritado fazia algum tempo. Pelo menos, não tão irritado com alguém além do filho.

— Há coisas nesta sala que poderiam matá-la — disse ele, muito agitado. — Há coisas aqui que poderiam matar *todo mundo*. Isto *não é* um parque de diversões.

— Pai… — começou Finn.

— Está na hora de a sua amiga ir para casa, Finn.

Finn suspirou, mas fez um sinal para Emmie ir atrás dele. Eles estavam seguindo em direção à saída quando Emmie parou e encarou o pai de Finn.

— Elas estão dissecadas, não estão?

— O quê? — perguntou o pai de Finn.

— Os Dissecadores. Eu ouvi tudo a respeito deles.

— Ouviu a respeito deles?

— Sim, Finn me contou.

— É mesmo, ele contou? — perguntou o pai.

Contei?, pensou Finn.

— Ele disse que a rede do Dissecador se tornou a arma escolhida pela maioria dos Caçadores de Lendas séculos atrás — continuou Emmie, determinada —, porque ela prendia as Lendas, mas não matava. É verdade?

— Sim — disse o pai de Finn, um pouco mais calmo agora, examinando-a. — Nós usamos um Dissecador nelas.

— Em todas elas? — perguntou Emmie, ganhando um pouco de coragem para dar um passo de volta à Biblioteca.

— Refresque minha memória. O que você disse que o seu pai faz?

— Ele é consultor de tecnologia — respondeu ela, parecendo tímida de novo.

— Consultor de tecnologia — a raiva do pai de Finn pareceu ter diminuído, deixada de lado conforme ele ficava mais perguntador. — Quanto tempo vocês vão ficar aqui?

— Pouco tempo. Ele está fazendo sei lá o que com as linhas telefônicas. Ou algo assim. Eu não prestei atenção.

— Não. Por que prestaria? E você aprendeu tudo sobre os Caçadores de Lendas com o Finn?

— Ah, sim. Estou fascinada com eles agora. A vida. As batalhas. Como deve ser ficar frente a frente com uma Lenda. Eu adoraria ser uma. Uma Caçadora de Lendas.

— É mesmo?

— É mesmo.

— Mas você não pode, não é? — disse o pai de Finn.

— Não posso? — perguntou Emmie.

— Finn não deixou isso claro? Nada de civis.

— Ah, sim, é claro. Mas eu penso nisso às vezes mesmo assim.

O pai de Finn estreitou os olhos e tombou a cabeça. Ele estava segurando o pote que continha o Hogboon, rolando-o deliberadamente entre as palmas das mãos.

— Vá agora — disse o pai de Finn e os mandou embora, fechando a porta atrás deles.

Finn e Emmie caminharam pelo Longo Corredor sem falar nada, entrando na casa e indo direto para a porta da frente. Finn abriu-a e esperou Emmie ir embora.

— Sinto muito, Finn — disse ela. — Espero não ter causado problemas para você.

Finn teve uma sensação perturbadora, mas não conseguiu identificá-la bem.

— Você falou sério quando disse aquilo? Sobre querer ser uma Caçadora de Lendas?

— Com certeza — respondeu Emmie, seu tom um pouco triste. — O que vocês fazem é incrível. Toda a emoção e os Dissecadores e os outros mundos e aquela sala enorme no final daquele corredor enorme. Digo, falando sério, quem não iria querer isso?

O rosto de Finn revelou seus sentimentos mais íntimos sobre o assunto. Enfim, ele falou:

— Eu conversei mesmo com você sobre o Dissecador? Não me lembro disso.

— Ah, sim, você deve ter conversado. Muitas vezes. De qualquer forma, é melhor eu ir embora.

Emmie puxou o cabelo para a frente e se virou na direção de casa. Finn fechou a porta, sem reparar que o dia claro havia, rapidamente, dado lugar a um cinza úmido e que Emmie já desaparecera em um véu de névoa cada vez maior.

20

— Fez um *blip*.

O pai de Finn apontou para a tela do computador.

Blip.

— Aí. E mais um.

Blip.

— Aí.

Finn estava ao lado dele, sem ter total certeza do que os dois estavam esperando.

Os dois pontinhos continuaram a fazer *blip*.

Blip.

Blip.

Na tela, havia um mapa da cidade. A cada poucos segundos um pontinho verde pulsante oscilava entre dois diferentes pontos.

Blip. Um ficava na enseada.

Blip. O outro ficava a alguns quilômetros dali, pegando-se o curto túnel na entrada de Darkmouth.

Finn entendeu o que o escâner estava dizendo: dois portais haviam acabado de se abrir. O alarme soara quando Finn estava seguindo de volta para a Biblioteca, mas havia sido silenciado depressa. Ele chegara à sala esperando que o pai estivesse correndo na outra direção. Em vez disso, ele estava parado em frente à tela e fizera um sinal para Finn acompanhá-lo.

— Pai, eu não sabia... — Finn começou a dizer.

— Mais tarde — foi a resposta curta.

Blip.

Blip.

— O que você vê, Finn?

Seu pai não esperou uma resposta.

— Esses são dois portais, mas ambos são pequenos. E apenas um deles permitiria que uma Lenda de qualquer tamanho passasse. Muito estranho. Eu gostaria que você examinasse o menor enquanto eu verifico o maior. Você pode se trocar no carro antes de eu te deixar lá.

— Espere aí, você vai me deixar lá? — perguntou Finn, sem gostar do que estava ouvindo.

No entanto, seu pai já estava seguindo para uma seção de prateleiras, nos fundos, onde ergueu a rolha de um pote vazio grande e triangular. Para surpresa de Finn, toda a seção da parede se abriu e seu pai a atravessou correndo. Finn ficou encarando-o por um momento, irritado.

— Uma porta secreta? Quando você iria me contar?

— Acabei de contar — disse o pai.

Ele colocou a cabeça de volta para a Biblioteca.

— Eu não queria que você aprontasse com ela. Agora, acelere.

Suspirando, Finn o seguiu, encontrando-se em uma parte do prédio que ele não sabia que existia; os restos escuros e aparentemente sem uso do que quer que aquela parte da Biblioteca costumava ser antes de os Caçadores de Lendas se mudarem para lá, há muito tempo escondida atrás da parede circular, seus tijolos de um vermelho profundo expostos sob pedaços esmigalhados de gesso apodrecido, e que parecia não ter sido reformada desde que o restante da rua fora colonizado pelos ancestrais de Finn.

À frente dele, seu pai puxou uma grande porta, que se abriu relutante até a luz fraca da manhã inundar o espaço e libertá-los na rua.

— Muito estranho — repetiu o pai de Finn enquanto seguiam de carro.

Finn estava na parte de trás, brigando com seu traje de luta, tentando não cair em cima da fileira de facas que forrava o interior do veículo.

— São dois portais ao mesmo tempo, mas até mesmo o maior é tão pequeno que não deve preocupar muito. Deve ser por isso que baixou essa névoa em vez de uma chuva de verdade.

Finn percebeu que estava vestindo o traje ao contrário, a armadura enforcando-o no queixo. Ele tentou de novo.

Seu pai mantinha alguma atenção no escâner do painel, que mostrava o mesmo mapa e os pontos verdes de tamanhos diferentes brilhando em intervalos de alguns segundos.

— A questão é a seguinte, Finn — disse o pai. — Você se lembra de quando aquele segundo portal se abriu no outro dia e depois desapareceu logo em seguida? Eu revisei os registros do escâner das caçadas anteriores e o que você acha que encontrei?

Finn queria mesmo acertar aquela resposta.

— Outros portais? — ele tentou adivinhar, perdendo o equilíbrio de novo.

— Muito bem. Isso aconteceu quatro vezes até agora. Outros portais, bem pequenos, abriram-se em Darkmouth enquanto nós estávamos caçando uma Lenda. Os outros foram tão breves que quase não foram registrados.

O escâner fez *blip*.

— Por isso, esta situação de agora é curiosa. O menor pode ser uma tentativa malsucedida de uma Lenda de abrir um portal maior. Precisamos ter certeza, de qualquer forma.

— Eu tenho mesmo que verificar sozinho? — perguntou Finn.

— Você vai ter que fazer isso em algum momento — respondeu o pai. — É melhor que seja quando, provavelmente, não é um grande perigo.

— Provavelmente?

As luzes do carro cortaram um arco na névoa conforme ele fez uma curva acentuada, fazendo Finn bater contra o fundo e cair em uma rede cheia de recipientes de metal.

— Se o portal ainda estiver lá quando chegarmos, Finn, tudo o que você precisa fazer é cuidar dele até desaparecer ou até eu voltar, o que acontecer primeiro. Será pequeno demais para uma Lenda atravessá-lo, e, assim, não há nada com que se preocupar, mas você pode entrar em contato comigo pelo rádio se precisar.

Finn ainda estava brigando com seu traje de luta.

— Vamos lá, demolidor. Seja mais rápido. É sério.

Eles chegaram perto do píer, os enormes pneus do carro raspando ao longo do meio-fio enquanto o veículo parava. As portas laterais dele deslizaram e se abriram automaticamente, e Finn meio que caiu, segurando o capacete para evitar que ele escapasse.

Em meio à névoa, ele conseguia ver uma mancha de luz dourada que pulsava suavemente suspensa no ar. Quase parecia um poste de rua, a não ser por estar mais baixo, mais ou menos no nível do olhar de Finn. Ele ficou fascinado por alguns momentos pensando nesse portal, aberto, puro. Um buraco entre este mundo e outro.

Apesar das suas recentes caçadas a Lendas, Finn só vira portais até então em alguns vídeos e fotos embaçados feitos dias antes de eles se fecharem por toda parte, exceto em Darkmouth. Ele crescera com a ideia de que era algo comum, mas sua mente agora efervescia com a visão de um portal para um mundo de Lendas. Ele estava um pouco embasbacado. E também estava muito assustado.

— Finn? — chamou seu pai, sacudindo-o. — Esqueceu alguma coisa?

Ele balançou o Dissecador de Finn para fora da janela do carro.

— Vamos, Finn. Eu sei que você consegue fazer isso, mas você tem que usar a cabeça às vezes.

Finn tentou dar um tranco em si mesmo para pensar em uma resposta inteligente, mas sua boca estava muito seca de medo para que ele conseguisse produzir algo de útil. Ele apenas pegou a arma, enrolou a alça dela em volta do pulso e observou o pai sair dirigindo até o carro ser engolido pela névoa.

Ele continuou a avaliar o portal a distância. Tinha ouvido muitas histórias de civis e Caçadores que se aproximaram demais de um deles e não tiveram a chance de sobreviver para se arrepender. Tinha ouvido relatos de aprendizes de Caçadores de Lendas que desafiavam uns aos outros a colocar a cabeça no portal para dar uma olhada, e o portal se fechava de repente e os deixava se contorcendo em uma breve agonia antes de seus corpos serem mastigados em dois pedaços, as pernas estremecendo por muito tempo depois de a parte da frente ter desaparecido no Lado Infestado.

Isso se eles tivessem sorte.

Havia uma teoria popular que dizia que, depois de se prender a uma pessoa, a energia do portal penetrava no corpo dela, e as duas se tornavam uma coisa só. Isso, segundo a ideia, deixaria o infeliz vivendo uma existência sem corpo por toda a eternidade, seu monótono tormento aliviado apenas pela tortura especial de ser rasgado de vez em quando para deixar que uma criatura grande o atravessasse.

Era apenas uma teoria, é claro. Escrever para a família e contar a todos sobre isso seria bem difícil dadas as circunstâncias.

Ainda assim, no que diz respeito a jeitos horríveis de morrer, Finn tinha algumas opções em oferta no momento. Ele tentou afastar essas ideias. Seu pai não acreditava que houvesse perigo. Provavelmente não havia perigo, de qualquer maneira. Caso contrário, ele não teria lhe dado a tarefa. E esperava que ele a executasse até o fim. Tinha de confiar no pai. Ele sabia o que estava falando, afinal.

Finn realmente esperava que o pai soubesse o que estava falando.

Assim, ele começou a se arrastar, hesitante, na direção do portal, seu traje, um pequeno coro de chocalhos, sua arma levantada e os batimentos do seu coração ainda mais altos.

Ele podia ouvir o mar à sua esquerda, lambendo a praia de pedras abaixo do píer. O *squaaa* de uma gaivota veio de algum lugar acima da névoa. Ele encontrou o caminho com cuidado por cima das cordas de pescadores, das armadilhas de lagosta sem uso e dos pedaços de plástico espalhados no chão.

Conforme ele se aproximava, o portal ficava mais definido, emitindo um som como o de água em movimento. Sua luminosidade era quase convidativa, suas franjas, feitas de uma luz branca crepitante e deslumbrante, pareciam familiares. Ele logo as reconheceu como os mesmos desenhos de luz que vira sob o microscópio da loja do Sr. Glad.

Antes, porém, de ter tempo de ponderar sobre essa coincidência, foi assustado por uma silhueta escura no portal. Alguma coisa. Alguma *coisa*. Uma criatura alta com um torso largo e uma cabeça horrivelmente deformada.

O traje de Finn chiou. Ele congelou enquanto avançava de fininho. A criatura parou o que estava fazendo no portal, virou-se e olhou na direção dele.

Finn mal ousou respirar enquanto ficou parado, imóvel, seu pé ainda meio erguido.

Aparentemente sem ver nada, a criatura continuou seu trabalho no portal, inclinando-se um pouco para alcançá-lo.

Finn completou seu passo. Cada som do seu traje parecia, para ele, um pequeno terremoto em uma fábrica de latas. Ele se abaixou, levando a mão com cuidado ao botão no seu pescoço que ativava o rádio, e sussurrou.

— Pai? Responda, pai.

Nada.

Um pouco mais alto.

— Pai. É o Finn.

Nada ainda.

Ele apertou. Apertou de novo. Silêncio absoluto. Nenhuma estática, nenhum apito quando ele tentou ativar o rádio, apenas o som do seu coração batendo em um ritmo apavorado na garganta. Ele devia ter desconectado um fio enquanto brigava com o traje no carro. Neste momento,

mesmo em uma névoa tão densa que ele poderia estender a mão e escrever "socorro!" nela, se sentia exposto por inteiro.

A figura, a alguns metros de distância, mas ainda apenas uma silhueta borrada, ficou parada no portal. Finn direcionou o olhar. Parecia que a figura talvez estivesse *pegando* alguma coisa, algum objeto pequeno, do portal. Mas o quê? Finn deu mais alguns passos para a frente, na tentativa de ver com mais clareza, a arma mirada, os dedos tremendo no gatilho, fazendo careta a cada barulhinho do seu traje.

Aparentemente satisfeita por sua tarefa estar concluída, a criatura recuou, dando uma franzida surpreendente no torso. Finn sabia que tinha de atirar no mesmo instante ou nunca teria outra chance. Respirou fundo a fim de acalmar a onda de adrenalina que fluía em seu corpo, estabilizou os braços, sentiu o gatilho do Dissecador na curva do dedo e fez contagem regressiva. *Três. Dois. Um.*

A criatura olhou ao redor. Finn apertou os olhos através da névoa e percebeu que estava vendo algo mais estranho do que qualquer Lenda.

Era um humano, um homem pelo jeito, usando um casaco comprido e largo, que chegava até seus joelhos. Finn não conseguia enxergar direito o rosto, que parecia estar quase todo coberto por um cachecol puxado por cima do nariz, e o que ele pensara ser uma cabeça deformada era, na verdade, a grande aba de um chapéu, enfiado até abaixo da testa.

Finn soltou a respiração, diminuiu a pressão no gatilho.

Por um breve momento, a luz dourada do portal brilhou em um par de olhos e, depois, com uma pulsação final e um trago, o portal implodiu, dobrando-se sobre si mesmo no mesmo instante, deixando para trás apenas uma cintilação amarela residual.

A figura olhou ao redor uma última vez. Finn aproximou-se meio passo para ver com mais clareza.

Acabou sendo uma coisa muito, *muito* idiota de fazer.

21

Os anos de treinamento de Finn como Caçador de Lendas haviam sido baseados na noção bastante razoável de que ele teria uma carreira caçando Lendas.

Ele podia não ser especialmente ágil, ou talentoso, ou hábil, ou qualquer outra variação de "útil" nos diversos tipos de combate necessários na luta contra aquelas criaturas, mas ele sabia toda a teoria.

Ele podia, em teoria, derrubar uma Górgona. Ele podia, em teoria, decapitar um Ofitauro de dentes arreganhados. Ele podia, *em teoria*, apagar o fogo do hálito de uma Quimera.

No entanto, ele havia trabalhado duro para aprender tudo de que precisaria para se tornar um Caçador de *Lendas*. Nenhuma vez ele fora prevenido de que, no curso de sua carreira, poderia precisar assumir o papel de Caçador de Humanos. Se tivesse sabido disso, então as coisas poderiam ter sido muitíssimo melhores.

Naquele meio passo para a frente, o dedo do pé de Finn tocou na parte de cima de um pedaço espesso de corda que se estendia pelo píer. Ele cambaleou um pouco, apertando o gatilho por instinto e mandando um tiro do Dissecador, que assobiou pela escuridão.

Seu fogo azul furioso desenrolou uma rede que cortou a aba do chapéu do homem e continuou em frente. Um estrondo poderosíssimo de destruição rasgou a cortina cinza no nevoeiro, ecoando pela enseada. Assustado, o homem se virou e avançou na direção de Finn. O menino se esforçou para se endireitar depressa o bastante e mirar de novo, mas o homem já estava sobre ele no mesmo instante, levantando-o do chão de forma que seus pés chutaram o ar em um movimento patético.

Finn se contorceu e forçou os pés para o chão, onde se empurrou para trás. A arma estava pendurada em suas costas enquanto eles lutavam. Aproximando-se, Finn cravou as unhas, balançou o corpo, deu chutes, perdeu o equilíbrio quando os dois caíram no chão, o Dissecador apertando-se contra a lateral do seu corpo. Ele tentou estender a mão para pegá-lo, mas não conseguiu soltá-lo.

Finn viu um pedaço de metal ao seu lado, no formato de estrela, uma chumbada de pesca. Estendeu uma mão, agarrou-a e bateu-a com força no pescoço do homem, provocando um grunhido de dor seguido por um berro de raiva, enquanto o ofensor erguia Finn de novo e o carregava para a borda do paredão da enseada.

Finn sentiu o homem soltá-lo e, depois, teve uma sensação assustadora de mergulho.

Ele bateu com força na água.

A água congelante entrou depressa pelo seu traje, a armadura protetora, agora uma inimiga, arrastava-o para o fundo do mar. Ele se esforçou para voltar à superfície, o frio e o pânico estavam deixando seus pulmões em choque, comprimindo sua respiração e cansando-o depressa. Afundou de novo. A água do mar inundou seu capacete, o sal e o óleo viscosos da enseada lambiam sua boca.

Ele subiu de novo, abrindo o visor para poder soltar um grito de socorro, e berrou enquanto lutava para se manter acima da água, com a cabeça tombada para trás, para lançar a boca e o nariz na direção do ar.

Ele deslizou para dentro d'água de novo.

A luta esvaiu-se dele, a exaustão assumiu o controle, o grande peso do traje puxava-o. Ele tentou de novo, empurrando-se para cima, mas sua boca sentiu o desejado consolo do ar por apenas um momento antes de afundar de novo. Seus olhos arregalados, mas sem enxergar nada na névoa. Seus pulmões gritavam para ele desistir. Era como ter um pé sobre seu peito, braços enrolados ao seu redor, espremendo a vida para fora dele.

Eram *mesmo* braços em volta dele. Eles soltaram. Finn sentiu alguém agarrando suas mãos. Depois, em volta da sua cabeça, procurando seus ombros. Uma nova onda de pânico e adrenalina disparou pelo corpo dele. O agressor estava ali, dentro do mar, pronto para terminar seu trabalho. Finn bateu nele. Empurrou socos fracos pela água.

As mãos continuaram nele, posicionando-se abaixo dos seus ombros de novo, agarrando-o com firmeza sob os braços e puxando-o para cima. Finn parou de brigar e permitiu-se ser arrastado para a superfície, uma mão colocava-se em volta do seu queixo e segurava-o para cima e, assim, tudo o que ele pôde ver foi um sol fraco furando a névoa que se desfazia. Mas ele conseguiu sentir o sabor do ar, fresco e puro. Ele engoliu com voracidade, engasgando por um momento com a água que caía da aba do capacete e descia pela garganta.

Finn sentiu-se ser puxado para a praia pedregosa, onde caiu para a frente, tossindo e cuspindo a água suja do mar.

— Você quase morreu ali — disse quem o resgatou. — Pensei que eu não iria conseguir pegá-lo.

Finn levantou o olhar e viu o Sr. Glad sentado ao seu lado, ofegante pelo esforço, com bastante água escorrendo dos seus longos cabelos e do terno desfiado. Ele cuspiu um escarro de água do mar nas pedras.

Na rua atrás deles, um carro freou cantando pneu. O pai de Finn pulou dele e correu até o filho na praia, um recipiente estava balançando em seu cinto.

— Olhe para mim, Finn. Olhe para mim! — disse seu pai, agarrando a cabeça dele e forçando-o a fazer contato visual. — O que aconteceu?

Finn disparou:

— No portal.

— O quê? Uma Lenda?

— Não… Um humano. Um homem.

— O que ele queria?

— Pai, me dá um tempo — disse Finn, balançando a cabeça para se libertar do capacete.

Ele olhou para o Sr. Glad.

— Como você…?

— Você acha que são os únicos que conseguem rastrear portais? — perguntou ele, tirando um escâner de dentro do casaco e deixando água cair dele. — Eu estava conseguindo, antes do nosso mergulho. De qualquer forma, ouvi um barulho como se o mundo estivesse entrando em colapso antes mesmo de eu chegar aqui. O portal havia desaparecido.

— E quanto ao homem que o Finn viu? — perguntou o pai de Finn.

— Eu não vi ninguém — disse o Sr. Glad, ficando em pé de novo. — Mas, naquela névoa, qualquer pessoa poderia ter passado com muita facilidade.

— Você tem certeza absoluta de que viu alguém, Finn? Você tentou parar a pessoa? Você conseguiu atirar?

Finn estava caído onde se sentara, sentindo enfim a vida se reafirmar no seu corpo.

— Eu atirei. Mas não…

— Ele escapou, então?

— Sim, ele escapou — retrucou Finn, mal-humorado. — Depois de me atacar e me jogar no mar. Mas estou vivo, obrigado por perguntar.

— Esse recipiente está cheio, Hugo? — perguntou o Sr. Glad.

O pai de Finn o ergueu em seu cinto.

— Manticora. Só uma pequena. Ela não tinha se afastado muito do portal antes de eu pegá-la. Parecia achar que não valia a pena atravessar. Mas ela trouxe isto.

Ele levantou um cristal. Tinha a forma grosseira de uma garra.

Finn deu uma tossida forte, drenando do peito mais água suja do mar. O pai apertou seus ombros naquilo que era a coisa mais próxima de um abraço que ele jamais iria ganhar.

— Vai ficar tudo bem.

— Eu não teria tanta certeza disso — comentou o Sr. Glad, acenando com a cabeça para o paredão da enseada, onde uma traineira agora estava visível; ou, melhor, os restos de uma traineira. Ela estava balançando com violência, sua popa, um monte duro e desfigurado de madeira, aço e cordas, agarrando-se com força às bordas amassadas do resto da embarcação.

O tiro de Finn havia atingido um alvo. Só que o alvo errado.

Mais à frente na rua, nos últimos bracinhos da névoa, uma van escura se afastou da calçada. Finn a reconheceu como o mesmo veículo que havia estacionado por um momento na rua perto da casa dele alguns dias antes, naquela mesma semana.

— Pai, aquela van…

A atenção deles foi desviada pelo estouro distante de uma sirene e pelas luzes brilhantes de um carro de polícia que se aproximava.

— É melhor nós irmos — sugeriu o pai de Finn.

Ninguém discordou.

22

Finn sentou-se em frente ao Sr. Glad à mesa da cozinha. Ele se secara e se trocara, mas o Sr. Glad ainda estava usando as roupas molhadas. Um odor de água malcheirosa da enseada encheu o aposento.

Atrás da porta, do lado de fora, Finn podia ouvir vozes abafadas.

— Você já participou de muitas caçadas, Finn? — inquiriu o Sr. Glad.

— Algumas — respondeu Finn, relutante.

Ele ainda estava em choque depois dos eventos daquela manhã, e sua boca estava sendo solidária. Ele não tinha energia para responder.

Finn levantou-se e espiou pela fresta da porta. Ele conseguia ver o pai e o Sargento Doyle em uma conversa acalorada em frente à casa. O sargento estava fervendo de frustração. Ele teve um vislumbre de Finn, que imediatamente recuou e sentou-se de volta à mesa.

— A primeira vez que vi uma, congelei — disse o Sr. Glad. — Ela também era grandalhona. Um Grifo. Garras que poderiam cortar aço. Asas com a largura da rua. Enormes olhos vazios. Pulou de um telhado, bem na minha frente. E eu só fiquei parado ali. Você já viu um Basilisco morrendo de medo?

O Sr. Glad cutucou o peito com um polegar.

— Eu estava assim. Agora, não treinei como você, mas era um tanto mais velho do que você é hoje, já tinha passado por algumas encrencas aqui e ali. Mas aquele Grifo? Ele me congelou.

Do corredor, os murmúrios continuaram, pontuados pela voz às vezes mais alta do Sargento Doyle. Finn o ouviu dizer "aquele menino" com clara exasperação.

O Sr. Glad procurou em uma tigela de frutas algo que o apetecesse. Finn observou em silêncio, sentindo-se enjoado. Suas narinas ainda ardiam por ter inalado água do mar. Ele sentia gosto de diesel na boca e de fracasso no fundo do estômago.

O Sr. Glad descascou uma laranja, as unhas lascadas afundando na casca enquanto ele olhava fixamente pela janela.

— No fundo, eu sempre fui um excluído. Nunca fui realmente um deles, não importava quanto respeito eles tivessem por mim. Tive de ser resgatado, naquele dia, por duas gerações de Caçadores de Lendas que trabalhavam juntos. Moravam juntos, treinavam juntos, lutavam juntos. Mais ligados do que as cobras na cabeça de uma Górgona. Fiquei devendo uma a eles, mas fiquei ressentido ao mesmo tempo. E sabe quem eram esses Caçadores de Lendas?

Ele colocou um pedaço de laranja na boca, mordeu-o e limpou o suco com as costas da mão.

— Seu pai e o avô dele, Gerald. Decepção não chega nem aos pés de descrever o humor daquele homem. Se você devesse algo a ele, ele nunca o deixava esquecer.

Finn sentia que devia algo ao Sr. Glad. Sua vida, para começar. Mas ele também sentia um desconforto crescendo dentro de si. Se era trauma ou seu segredo, ou apenas o cheiro de peixe e diesel, ele não sabia dizer, mas quase precisava furar a tensão com palavras.

— Tem uma coisa...

Ele foi interrompido pela volta do pai à cozinha.

— Doyle acha que estávamos atirando em outra Lenda, e vamos deixá-lo acreditar nisso. Mas ele não está feliz e diz que não é o único. Aquele barco vai ter um custo. Vamos ter que usar o fundo de novo.

Finn sabia que ele estava falando sobre um fundo de compensação que existia para os Caçadores de Lendas que precisavam pagar por danos a propriedades de civis, ou a civis e propriedades. Fora iniciado muitos séculos antes, no Antigo Egito, quando um incidente muito infeliz levou à perda do nariz da Esfinge. Era um recurso útil, mas o pai de Finn odiava usá-lo, porque a burocracia era muito grande.

— O fundo não é infinito — acrescentou ele, apoiando-se contra o balcão da cozinha.

O rosto dele estava tenso, de preocupação ou de decepção; ainda não ficara claro. Finn não tinha certeza se queria saber a resposta.

— E não diga uma palavra disto para a sua mãe. Não há por que preocupá-la.

— Não há por que me preocupar com o quê? — perguntou a mãe de Finn, entrando na cozinha.

O Sr. Glad ficou em pé no mesmo instante para recebê-la.

— Clara, que bom ver você.

— Ah, Ernest. É bom ver você também — disse ela. — Parece fazer muito tempo que não nos visita.

— Você sabe como é, Clara. A loja me mantém ocupado, entre uma coisa e, você sabe, a outra.

Ele parecia um pouco desconfortável, concentrado em esfregar as mãos para tirar o suco de laranja.

— E o seu outro trabalho?

— Bem, não é o que costumava ser, é verdade. — Ele olhou para o pai de Finn. — Mas não é uma reclamação. É o jeito do, você sabe… — A frase morreu.

— Então, o que aconteceu com você, Ernest? — perguntou a mãe de Finn. — Não caiu uma chuva pesada, até onde eu sei.

Todos eles continuaram quietos.

— E esse cheiro…

Silêncio.

— É assim, não é? Grandes segredos dos Caçadores de Lendas. Minha mãe me avisou que eu devia ter me casado com um contador.

— Ou um Reparador?

— Ah, por favor, Ernest — disse ela, a seriedade surgindo em sua voz.

— Eu não quis dizer…

— Eu tive um dia longo de trabalho. Vou descansar — disse ela, mas olhou para Hugo antes de sair. — Quando eu voltar, vou querer uma xícara de chá, então não vá desmontando a chaleira nem nada do tipo enquanto eu não estiver aqui.

O pai de Finn esperou até ela estar longe demais para ouvir antes de dizer, em tom mais baixo:

— Glad, eu creio que estejamos sendo vigiados. Uma van, certa noite. Apenas uma sensação vaga ou outra. E...

— A van de novo na enseada, também — disse Finn, sentindo que deveria contribuir. — Eu a vi saindo.

— E, então, acontece isso. Aquele homem no portal — disse seu pai. — Alguém está de olho em nós.

— Não sei quem era — disse o Sr. Glad —, mas acho que sei o que queria. Eu estava vindo falar com você sobre isso.

Do bolso da calça, ele tirou um saco de feltro amarrado com um fio. Água escorreu quando ele o abriu, soltando o cristal na mesa e, com ele, uma lufada pungente do cheiro da enseada.

O pai de Finn jogou o novo cristal ao lado daquele.

— Você sabe o que são, meu jovem? — perguntou o Sr. Glad, inclinando-se para a frente, por cima da mesa, na direção de Finn, os cabelos imundos batendo no pescoço e as mãos abertas. — Bem, tenho quase certeza de que eu sei. Eles são mágicos. Ou algo assim, de qualquer forma. Do tipo que traz maldade para este mundo.

Ele pegou o cristal, segurou-o no alto entre os dedos. Estava claramente gostando daquele showzinho.

— Não há muitos registros deste tipo de coisa aparecendo do lado de cá dos portais. Não registros oficiais, pelo menos. Mas tenho quase certeza de que o que estou segurando não é um cristal qualquer, mas a exata circunstância que permite que as Lendas criem um buraco entre o mundo delas e o nosso.

— Corônio — disse o pai de Finn. Uma vida inteira lidando com Lendas, e eu nunca tinha visto um.

— Pouquíssimas pessoas já viram — afirmou o Sr. Glad. — Sabemos a respeito dessa substância há anos, mas normalmente é encontrada no Lado Infestado. E, agora, você tem um exemplar só seu.

O Sr. Glad o colocou em frente a Finn e encostou na cadeira de novo, com um barulho molhado.

— Você tem certeza de que é Corônio? — perguntou o pai de Finn.

— Acredito que sim — respondeu o Sr. Glad.

— Deveríamos ter falado disso no seu treinamento, Finn — disse o pai. — Pelo que sabemos, as Lendas prendem isso no ar, fixam ali de alguma forma. E, depois de terem feito isso…

— Bum — disse o Sr. Glad, abrindo as mãos. — Elas abrem a porta e entram. Não costumam bater antes.

— E não costumam trazer o Corônio com elas.

No silêncio da cozinha, as últimas gotas de água do mar caíram dos cotovelos do Sr. Glad, atingindo o chão, *plip-plip-plip*.

Finn relembrou o encontro na enseada.

— Você acha que foi isso que eu vi no portal na enseada? Alguém recebendo um desses cristais?

— Eu duvido — disse seu pai. — Não podem simplesmente passar o Corônio através dos portais. Se eu estiver certo, o Corônio só pode atravessar os portais quando estiver ligado a tecido vivo.

— Essa é a teoria, sim — disse Glad.

Ambos olharam para Finn, e ele percebeu que os dois estavam esperando que ele juntasse os pontos. Ele obedeceu.

— Como a mão de um Hogboon.

— Ou a garra de uma Manticora — disse o pai.

— Mas por quê? — perguntou Finn.

— Talvez não seja essa a questão, menino — disse o Sr. Glad. — Talvez a questão seja: agora que temos alguns, o que faremos com eles?

O pai de Finn ponderou.

— O Corônio é poderoso e volátil. Pode rasgar o tecido entre mundos completamente separados. Há muito tempo, no começo de tudo, ele abriu portais catastróficos aleatoriamente.

— Pergunte aos dinossauros — disse o Sr. Glad a Finn.

— O que significa que pode ser naturalmente explosivo. Mas parece que, há bastante tempo, as Lendas aprenderam a controlá-lo. A usá-lo para criar portais.

O Sr. Glad rolou um cristal entre os dedos.

— Então o Corônio poderia ser uma chave. Ou uma arma.

— Poderia ser uma fonte de energia? — perguntou o pai de Finn a ele.

— Ah, essa é uma boa ideia. Você contou ao menino o que tem feito naquela sua biblioteca, Hugo?

— Ainda não.

— Bem, vamos fazer melhor do que isso — sugeriu o Sr. Glad. — Eu estou aqui. Ele está aqui. Nenhum de nós viu. Por que esperar mais?

O pai de Finn manteve o queixo colado ao peito por alguns segundos.

— Certo, talvez esteja na hora de eu mostrar — disse ele. — Pode mudar a vida de vocês, afinal de contas.

23

Eles ficaram parados em frente ao aparelho descoberto.

O Sr. Glad segurou um gritinho de alegria.

Finn arqueou um lábio, confuso.

— Incrível, não é, Finn? — perguntou o pai.

Incrível não seria bem a palavra. Casual, talvez. Ou desorganizado. Pelo que ele pôde ver, era uma miscelânea de folhas de metal, botões de apertar, botões de rodar e eletrodomésticos despedaçados e reutilizados, coroados com uma borda de pratos de metal correndo ao redor do aparelho em um padrão irregular.

Um *timer* de cozinha estava preso de um lado, perto do que parecia ser um painel de controle formado pelo grande botão redondo de um antigo micro-ondas, um teclado de computador, um interruptor de luz especialmente grande e uma pequena tela que Finn percebeu ser do jogo eletrônico que eles haviam pegado na loja do Sr. Glad. A máquina inteira estava aparafusada em algumas partes, colada com fitas em outras, e, através de uma janela, Finn conseguia enxergar um recipiente de Dissecador no centro dela, preso por uma confusão de fios.

— É lindo — elogiou o Sr. Glad, circulando-o.

— O que é? — perguntou Finn.

— É o fim de tudo isto — respondeu seu pai. — Bem, poderia ser.

— É a máquina do Juízo Final — interferiu o Sr. Glad. Seu pai tem me procurado desde o começo para conseguir peças, um pouco de aconselhamento, conhecimentos e tal, mas manteve isso entre nós porque o fracasso teria, bem, consequências terríveis.

Finn olhou para o pai, que encolheu um pouco os ombros. Finn achou que ele teve uma atitude descontraída para com as terríveis consequências que podiam ser esperadas.

O Sr. Glad continuou fazendo carinho na máquina como se fosse um bichinho de estimação.

— Ele pega a ideia básica do Dissecador, mas, em vez de apontar para um objeto, será apontado em todas as direções e, em vez de encolher um alvo, vai encolher cada Lenda com a qual entrar em contato.

— Então… — disse Finn. — Basicamente, é como uma bomba Dissecadora em vez de uma arma.

— Basicamente — respondeu o pai.

— A ideia é que o seu pai aguarde o portal se abrir — disse o Sr. Glad — e depois ative a máquina para que uma onda de energia disseque o que quer que venha através dele. E *voilà!* Será o fim das Lendas.

— De todas elas?

— Isso mesmo. A máquina vai acabar com a guerra de uma vez por todas — disse seu pai.

— Uau. Funciona?

— O futuro depende disso — disse o pai de Finn, em voz baixa.

— Tudo o que ele tem de fazer é encontrar uma maneira de fazer funcionar sem matar todo mundo em Darkmouth — continuou o Sr. Glad.

— Isso não vai acontecer — garantiu o pai de Finn. — Bem. Não *deveria* acontecer.

— De qualquer maneira — disse o Sr. Glad —, o seu pai tem tido dificuldade em encontrar algo forte o bastante para dar energia à arma. Não é como se desse para fazê-la funcionar com uma bateria de carro. Bem, daria, mas seria necessário um grande total de… Quantas, Hugo?

— Quarenta e três mil.

— Quarenta e três mil baterias de carro. O que iria além até do que eu consigo. Mas isto… — Ele ergueu os dois cristais na mão. — Isto poderia ser a resposta. Todo esse poder, em algo tão pequeno. É como o átomo sendo dividido dentro de uma bomba nuclear. Poderia provocar um grave estrago em uma área bem ampla, se tiver o suficiente deles.

Finn mal estava escutando; em vez disso, estava preocupado com a fraca pulsação de uma incômoda dor de cabeça.

— Mas você não disse que esses cristais podem ser voláteis? Que podem simplesmente explodir sozinhos?

— Talvez — respondeu seu pai. — Raramente.

— Nós teríamos que ser muito azarados — comentou o Sr. Glad, tentando em vão parecer reconfortante e abandonando a ideia. — Mas você não iria querer estar por perto se eles explodissem.

E, com isso, como se o dia de Finn já não tivesse sido ruim o bastante, ele agora sabia que iria para a cama nessa noite com uma bomba em potencial enfiada na sua gaveta de cuecas.

Retirado da introdução dos editores à seção final de *A Vida Grandiosa dos Caçadores de Lendas, dos Tempos Antigos até os Dias Modernos, Vol. 25 (de Xxogjudqa, o Impronunciável, a Zyta, o Último).*

Sempre houve a preocupação de que um Caçador de Lendas especialmente doido e motivado pudesse colaborar com as Lendas, tornando-se espião ou sabotador. Até agora na história da batalha da humanidade contra as Lendas, porém, só houve três infames traidores.

O primeiro foi Rex, o Enganador, um rei guerreiro de muitos séculos atrás cuja coleção de Lendas capturadas era tão única que seu zoológico particular, o Jardim das Lendas, ficou conhecido como uma das Sete Maravilhas do mundo antigo dos Caçadores de Lendas.

Conforme sua reputação assustadora aumentava, as Lendas ficavam relutantes em lutar com ele. Irritado com a covardia dos inimigos, entediado com a falta de ação e contrariando todas as ordens do Conselho dos Doze de que deveria apenas relaxar e aproveitar seu sucesso, Rex começou a sistematicamente fingir derrotas para incentivar as Lendas a atacar de novo. Seu plano funcionou tão bem que, no final, ele conseguiu enganá-las e levá-las a planejar uma invasão em massa.

Rex acreditava ter descoberto a hora e o local do ataque e se preparou para a guerra. Infelizmente, as Lendas invadiram um dia antes do que ele calculara, pegando Rex e seus exércitos tão completamente despreparados que o rei estava no meio do seu tradicional banho pré-batalha quando um Cérbero de três cabeças invadiu seu banheiro. Ele foi devorado antes de ter a chance de sequer pegar uma toalha.

A batalha subsequente entre humanos e Lendas durou vários meses e atraiu Caçadores de Lendas de todo o planeta. Entre eles estava o segundo grande traidor da tradição dos Caçadores de Lendas, Erdimon, o Egoísta.

Erdimon fizera uma jornada épica por várias terras, passando por cadeias de montanhas e rios vastos, atravessando florestas imensuráveis e desertos torturantes, sustentado apenas por parcas rações e uma promessa de riqueza e glória que esperava todos os que lutavam a grande guerra pela sobrevivência.

Ele chegou na tarde depois de a guerra acabar.

Irado com a jornada em vão, que lhe custara toda a sua fortuna, Erdimon ficou parado no campo de batalha silencioso e jurou vingança contra todos os Caçadores de Lendas que haviam lutado.

Motivado por sua amargura furiosa, ele viajou para as Vilas Flageladas de todo o mundo, onde esperava a abertura de um portal, e entrava na luta ao lado da Lenda invasora, frequentemente atrapalhando o Caçador de Lendas que corria para a batalha em um ataque-surpresa.

Erdimon conseguiu matar vários Caçadores de Lendas e causou grande caos nas suas Vilas Flageladas. Seu reino de destruição acabou apenas quando ele calculou mal as probabilidades de uma emboscada e foi, gritando e brandindo a espada, de encontro a uma família inteira de Caçadores de Lendas, que era anfitriã de uma reunião com outros Caçadores de Lendas de toda a região.

O grande traidor final foi Justin, o Odioso, cujas informações em A Vida Grandiosa são breves, em grande parte porque ele era, na realidade, muito detestável e é quase certeza que tenha sido morto em consequência disso. A história de ele ser traidor apenas parecia uma desculpa melhor.

Há um rumor antigo da entrada iminente de um quarto Grande Traidor em A Vida Grandiosa. Como editores, podemos confirmar ou negar essa alegação. Apenas preferimos não fazê-lo.

24

No Lado Infestado, um pequeno Wolpertinger apressou-se por corredores desertos com um tubo de metal apertado entre as mandíbulas. Aquele ser dava a impressão de que alguém havia tropeçado em um balde cheio de partes de criaturas diferentes, derrubado tudo no chão e montado qualquer coisa com as peças embaralhadas. Chifres, presas. Pele. Algumas penas. Pequeninas asas de couro esticadas por suas axilas. Se fizéssemos um esforço, poderíamos descrevê-lo como algo parecido com um coelho, com um toque de rena e uma pitada de vampiro. Em outra época, esses monstros haviam sido despachados para assustar as Vilas Flageladas da Alemanha. Sempre era necessário algo especialmente louco para assustar os alemães.

O Wolpertinger se movia o mais rápido que podia, interrompendo o passo apenas uma vez, quando tropeçou em um objeto que, em uma inspeção rápida, se revelou ser um crânio. Ele redobrou a atenção para não se atrasar, enquanto esperava que o tubo de metal que estava segurando não contivesse más notícias, pois levar más notícias para Gantrua era como entregar a ele sua própria sentença de morte e pedir que ele assinasse na linha pontilhada.

Ele não sabia o que segurava, apenas que fora depositado através do portal no lugar e na hora esperados. Os dedos humanos que apareciam pelo buraco no ar e empurravam o tubo para o outro lado pareciam deliciosos, e o Wolpertinger se esforçara bastante para resistir à tentação de dar uma mordidinha neles.

Havia agarrado o objeto e corrido pela floresta estéril, cruzando os campos de arbustos cortantes, sabendo que não seria incomodado no caminho. Ninguém ousaria interromper a jornada de um dos mensageiros de Gantrua.

Ele enfim chegou ao salão das chamas, onde os dois cruéis guardas Fomorianos se colocavam no seu caminho. Ele balançou o objeto na direção dos dois. Um dos gigantes inclinou-se na direção dele, uma cicatriz no formato de lua crescente se elevou na testa e uma linha de baba dançou no canto da boca.

— Nada de gracinhas, pequeno Wolpertinger. Ou vou arrancar os olhos da sua cara e fazer você olhar enquanto eu quebro cada osso do seu corpo, um por um.

— Trom é muito criativo quando se trata de dor — disse o outro guarda, lenta e sinceramente. — Ele é muito bom no seu trabalho.

— É mais um hobby do que um trabalho, na verdade — disse Trom, a baba caindo em seu queixo. — Quando você ama o que faz, fica muito mais fácil levantar do chão toda manhã. Não é, Cryf?

— É, sim, Trom.

O Wolpertinger esperou, mexendo-se um pouco na sua ansiedade de entregar a mensagem. Quando a cena de intimidação pareceu tê-los satisfeito, os guardas deram passos lentos para os lados e, assim, o mensageiro pôde enfim seguir em frente e entrar no grande salão onde o calor dos caldeirões que contornavam as paredes quase fazia bolhas em sua pele.

Ele correu na direção do pedestal, as pontas dos pelos finos das suas costas crepitando.

— Dê para mim — ordenou Gantrua de onde estava sentado, com uma grande espada presa a sua cintura. Um dos guardas arrancou o tubo da boca do Wolpertinger e o entregou.

Abrindo o tubo, Gantrua removeu de dentro dele um rolo de papel e o leu. O mensageiro procurou uma reação nos vales profundos das sobrancelhas de Gantrua enquanto ele lia a mensagem, mas viu apenas concentração. Ele não conseguia entender nenhum movimento em sua boca, que mal estava visível atrás do arco de dentes quebrados que subia do metal preso em sua mandíbula.

Gantrua esmagou o tubo.

— Nosso espião enviou um relatório. O Minotauro não conseguiu entregar o cristal.

Os olhos do Wolpertinger estavam se acostumando à luz bruxuleante, e ele conseguia então enxergar o contorno de uma figura encapuzada, bem menor que Gantrua, parada perto de uma coluna atrás do pedestal.

A figura falou, a voz era fina e frágil:

— Mas o menino?

— Ele está lá.

— Então, precisamos mandar outro cristal, para podermos acordar o exército adormecido antes de ser tarde demais. A invasão partindo de dentro deve começar.

Gantrua respirou fundo, seu peito inchando tanto que a armadura resmungou, como se estivesse prestes a se despedaçar em mil fragmentos. O Wolpertinger esperou. Ele começou a se preocupar que pudesse, na verdade, estar cozinhando. Uma gota de suor escorreu pelo seu rosto e caiu no chão, fazendo um *splat* quase imperceptível escutado no mesmo instante pela orelha enorme de Gantrua, lembrando-o da presença do Wolpertinger.

Gantrua levantou o pedaço de papel na sua mão e deixou o ar quente carregá-lo na direção do teto, onde ele se enrolou e explodiu em chamas.

— Wolpertinger, o que se fala lá fora? O que você ouviu sobre a profecia?

O mensageiro ficou encarando, perplexo.

— Sei muito bem que você é mudo. Não espero uma resposta. Mas seus olhos me dizem o que preciso saber. As Lendas acreditam nela. Elas têm medo dela. O rumor se espalhou e acham que uma simples criança será responsável por trancar o Mundo Prometido para o resto da eternidade. Que nosso banimento, já insuportável por milênios, será completo.

Gantrua ficou em pé e andou para a frente, a espada em sua bainha sendo arrastada pelo piso de pedra, com sua ponta chiando e soltando faíscas.

— Mas você também deve ter ouvido rumores sobre o grande trabalho nas minas de Corônio.

Os joelhos do Wolpertinger cederam um pouco com essa menção.

— Há verdade nisso também.

Gantrua pegou a espada e a soltou da bainha, fazendo o mensageiro recuar. Em vez de golpeá-lo, porém, Gantrua bateu com força no chão.

— Trom e Cryf. Os cristais de Corônio estão ficando mais raros e preciosos. O que é encontrado é trazido para cá. Mostrem a ele.

Os Fomorianos se arrastaram até as alavancas que saltavam das paredes no final de cada fileira de caldeirões flamejantes. Agarrando-as, eles fizeram um sinal com a cabeça um para o outro para sincronizar o movimento seguinte, antes de puxar com energia. Parecia precisar de cada sopro de sua formidável força para isso.

Por todo o grande salão, surgiu um som de rodas dentadas virando e roldanas chiando. Depois, os caldeirões se inclinaram para a frente, derrubando fogo por cima de suas bordas. Houve um som como de gagueira, seguido pelo barulho de algo se quebrando quando um único caldeirão enfim tombou, abruptamente, mandando respingos derretidos para o chão. O Wolpertinger pulou para trás, agarrando seu rabo para evitar que ele acendesse como o pavio de uma vela.

Depois de alguns segundos de espantosa intensidade, o fogo apagou. Abaixo da boca aberta do caldeirão havia dois cristais.

Gantrua agigantou-se diante do Wolpertinger.

— Esses cristais são o nosso caminho. Um deles será uma arma entregue ao Mundo Prometido para que possamos trucidá-lo de dentro para fora.

O pequeno mensageiro sentiu seus pelos coçarem de ansiedade, suas penas se endurecerem de medo, sua pele formigar de ansiedade.

— Você gosta dos cristais, não? — perguntou Gantrua. — Então escolha um.

Com os nervos estremecendo sua miscelânea de partes corporais, o Wolpertinger selecionou um cristal, mordendo-o com suas presas e voltando a largá-lo no chão em frente a Gantrua.

Os guardas Fomorianos entraram em cena. Mais tarde, perdendo muito mais sangue do que ela gostaria de derramar de novo e levando um cristal onde uma presa bela e preciosa já estivera, a desafortunada Lenda percebeu que nunca tivera nenhuma escolha, na verdade.

25

— Ei, menino-monstro, quero dar uma palavrinha com você!

Finn estava no terreno da escola havia quatro segundos, e os gêmeos Savage já estavam caminhando em direção a ele com punhos e mandíbulas apertados. Atrás deles seguia um bando de mais três, rodeando-o de uma maneira que sugeria que estavam prontos para uma briga desde que todos os outros estivessem.

Finn continuou andando na direção do estacionamento entre ele e as portas da escola, mantendo os cinco meninos à vista à sua direita. Se tivesse olhado para a esquerda, teria visto um sexto à espreita e se abaixado *antes* que esse menino jogasse a mochila com força na base do pescoço de Finn.

Mas ele não olhou para a esquerda.

— Ai! — disse Finn quando a mochila bateu nele.

Ele se agachou para se defender e tentou se livrar da dor do golpe. Os gêmeos estavam perto dele.

— Foi James quem acertou você — disse Conn. — O pai dele tem um barco. Ou melhor, ele *tinha* um barco. Está destroçado agora.

Finn ergueu-se com energia, alongando-se devagar até seu tamanho total, mas confirmando que isso o levava apenas até a altura do queixo deles. A orelha deformada de Conn se parecia com um pacote de batatinhas amassado.

Outro menino deu um chute em sua direção, e Finn conseguiu desviar, desengonçado.

— A vovó *dele* estava fazendo as compras — contou Manus — e viu o monstro Come-Come ou o que quer que fosse de que você deveria nos proteger. Ela teve um grande choque. Derrubou todas as compras.

— Tivemos que levar os restos do nosso jantar para ela — disse o menino que o chutara.

— O que era? — perguntou Finn.

— Uma das suas criaturas, uma grande, isso que era.

— Não, o resto do jantar. O que era? Era bom?

Quando nenhuma resposta poderia ser a certa, Finn decidira que uma resposta sem sentido era tão boa quanto qualquer outra. Além disso, ele se sentia surpreendentemente calmo, dadas as circunstâncias.

James jogou sua mochila de novo. Finn desviou, mas a gangue já o rodeara e uma multidão de espectadores estava se juntando, prevendo uma briga.

— Nosso pai diz que sua família fica com esses monstros em casa, como bichinhos de estimação — disse Conn.

— Ele diz que o seu pai fica com eles porque ele não seria nada sem eles, e que ele solta os monstros só para assustar as pessoas — acrescentou Manus. — Só para ter o que fazer.

— Seu pai ouviu isso no bar? — perguntou Finn. — Ele passa bastante tempo lá.

Finn não sabia por que, mas estava gostando disso. O tempo parecia estar passando um pouco mais devagar. Ele se sentia relaxado, no controle. Reparou na posição de cada um dos meninos, calculou seus movimentos. Registrou tudo isso quase de forma subconsciente. Era como se a experiência de quase morte na água tivesse tirado o medo dele. Ele se sentia bem. Ele se sentia confiante.

Sentiu uma bofetada na parte de trás da cabeça.

Com um grito agudo, quase dando uma bronca no menino atrás dele por não jogar justo, Finn se virou. Ao fazer isso, ele levou uma pancada nas pernas de outra mochila. O tempo ainda estava correndo um pouco devagar, mas sua confiança estava se revelando devagar também.

Ainda assim, quando a mochila bateu de novo, Finn reagiu rápido o suficiente para agarrar e jogar o menino que a segurava contra outro garoto ao seu lado. Os dois caíram um em cima do outro. Houve uma pausa enquanto todo mundo tentava entender o que estava acontecendo e, depois, um grito de torcida veio da multidão. Aquilo estava ficando mais emocionante do que qualquer um ousara sonhar.

Finn automaticamente ficou em posição de arte marcial: as mãos para fora, a ponta do sapato direito apontada para cima. Foi um dos primeiros movimentos que ele aprendeu no seu treinamento, porque era considerado útil para defesa (com as mãos) e ataque (chutando o pedaço de Lenda que estivesse mais perto) simultâneos. Ele tinha esquecido que sabia disso.

A multidão riu.

Conn correu na direção dele. Finn foi para o lado, mantendo um pé esticado, fazendo-o tropeçar, enquanto agarrava a parte de trás do seu casaco e o ajudava a pousar com alguma dignidade.

A multidão fez *aê*.

Ela estava do seu lado, pensou Finn com uma pontinha de triunfo. Manus aproveitou a falta de equilíbrio momentânea de Finn para atingi-lo, um tapa que pegou a lateral da cabeça dele e o fez girar.

A multidão fez *uuu*.

Finn percebeu que ela estava do lado de quem a entretinha mais no momento.

Os meninos se amontoaram. Finn enrolou os braços em volta de um torso e empurrou. O grupo, grunhindo, lançou-se alguns metros para a frente, forçando a multidão a pular fora do caminho. Finn estava enterrado

ali, lutando em meio à turba de casacos, corpos moles e respirações pesadas. Estava indo bem.

E, então, não estava indo tão bem. Alguém prendera sua cabeça entre os braços e outra pessoa estava puxando sua perna. Através da colisão de corpos, Finn sentiu algo longo, e, de madeira sendo empurrado para a sua mão. Ele o agarrou e enfiou na barriga de quem quer que o estivesse segurando e, depois, empurrou Manus Savage para longe. Enfim, vendo que era um taco de hóquei que ele segurava, balançou-o em um movimento baixo e amplo, enganchando e afastando as pernas de Conn, e, em seguida, lançou-o com força de novo, virando os pés de outro menino para o ar, depois outro, jogando-os de costas no chão, até estar livre.

Ao pular para longe da briga, ele viu uma explosão de cabelos vermelhos. Soube de onde tinha vindo o taco de hóquei.

— Mais alguém quer tentar? — disse, brandindo o taco da maneira mais ameaçadora que conseguiu.

O grupo, com os joelhos das calças rasgados, levantou-se e saiu se arrastando.

— Agradeça a sua namorada — zombou Conn ao ir embora.

Finn não fez nada do tipo; em vez disso, endireitou as roupas, pegou sua mochila e seguiu em frente, atravessando a multidão que se dispersava, entregando a Emmie seu taco de hóquei no caminho. Ela o seguiu.

— Finn! Ei, Finn. Você está sangrando.

Ele procurou e acabou encontrando sangue na têmpora. Não reparara naquilo durante a briga, mas, agora que sabia que havia um corte ali, ele começou a pulsar.

— Acabei de derrotar seis caras sozinho — disse ele, ainda andando. — Bem, sozinho na maior parte.

— Aquilo foi incrível! — disse Emmie. — Eu vi, e vi que era você, e pensei o que eu podia fazer e, assim, dei o taco de hóquei para você e você enganchou neles e depois... Uau. Simplesmente incrível.

Eles pararam de andar.

— Eu estava indo bem sozinho — garantiu Finn, com a voz tremendo pela adrenalina que corria por seu corpo.

— Eu só achei que podia ajudar.

— Você ajudou — admitiu ele. — Obrigado.

— Espere até ver como todo mundo vai tratar você hoje, Finn. Você vai ganhar muito respeito.

Ela estava errada.

Foi um dia de risos silenciosos, dedos apontando e *fiu-fius*, e um desgaste contínuo de qualquer respeito que a demonstração de coragem dele pudesse ter ganhado.

Na classe, a Sra. McDaid o olhou desconfiada durante toda a aula de matemática da manhã, e ficou olhando para o corte na cabeça dele mesmo enquanto dava uma explicação tediosa sobre ângulos e triângulos.

— Isósceles — disse ela, com um olho brilhante o escaneando.

Enquanto isso, os olhares dos gêmeos Savage perfuraram um buraco na parte de trás da cabeça dele.

— Equilátero — continuou a Sra. McDaid.

Finn conseguia sentir a classe toda observando-o. Podia senti-la observar os Savage o observando.

Ele era o Caçador de Lendas que tinha precisado de uma civil para tirá-lo de uma briga com inimigos que tinham dois braços e duas pernas comuns, apenas uma cabeça cada um e corpos que não eram uma mistura maluca de vários animais perigosos.

Mas ele batera nos outros mesmo assim. Não tinha sido bonito. Não tinha sido tranquilo. Mas tinha sido uma vitória.

Ele virou o olhar na direção de Emmie e lhe mandou um sorriso. Ela abriu um sorriso largo de volta.

Um dos Savage soltou um *fiu-fiu*.

26

— Uuurghle. Aaargglle. Ckeuck.

— O que foi, Sr. Laird? — perguntou a mãe de Finn, a máscara que cobria sua boca mexendo enquanto ela falava.

Ela estava pairando sobre o paciente, que estava inclinado em uma cadeira com a boca aberta com um suporte.

— Isss tahhs zuendosss.

— Tenho certeza de que está doendo, Sr. Laird. Mas logo vamos resolver, não se preocupe.

Ela lançou para Finn um olhar malvado. Ele estava sentado em uma cadeira no canto, uma máscara sobre a boca também. Estava com um gorro de lã puxado com força por cima da cabeça, cobrindo o feio arranhão na sua têmpora.

Ele sempre gostara de observar a mãe trabalhando. Sempre admirou seu conhecimento, seu jeito, a graça com a qual ela conseguia tirar um dente. Ele se perguntava se poderia ser assim com os animais, tão gentil e perceptivo, e se imaginava no lugar dela, mas com um grande pastor-alemão no lugar do Sr. Laird.

O Sr. Laird gorgolejou de dor.

— Ah, estou vendo o problema — disse a mãe de Finn.

— Egghhh — respondeu o Sr. Laird.

— Não se preocupe, eu ainda não toquei em nada, Sr. Laird. Só estou olhando.

Sentada na cadeira, a mãe de Finn deslizou para trás até um armário. Ela procurou entre suas chaves a correta, destrancou a pequena porta e retirou uma garrafa. Mergulhou uma agulha nela e, com cuidado, tirou uma medida de líquido claro.

— Você pode sentir uma picadinha, Sr. Laird, mas só por alguns segundos.

Finn observou com muita atenção, tentando não estremecer muito conforme a agulha era levada para perto do paciente.

— Tudo pronto agora.

Ela deu ao Sr. Laird alguns momentos para se tranquilizar.

— Essa coisa é poderosa, Finn — sussurrou ela. — Acalmaria um rinoceronte.

— Na verdade, não — murmurou Finn.

— O que foi, meu amor?

— Você precisaria de muito mais para um rinoceronte — respondeu Finn, com um pouco mais de coragem. — Quanto maior o animal, mais anestésico é necessário.

Ele se sentiu um pouco exposto de repente, desejando compartilhar seu conhecimento com ela, mas, ainda assim, contendo esse impulso. Ele puxou a aba do boné um pouco mais para baixo.

A mãe de Finn parou e o observou, momentaneamente intrigada com aquele repentino florescimento de saber.

— Bem, talvez um rinoceronte pequeno, então — disse ela e, depois, retomou o trabalho. — Agora, e quanto a você? Imagino que não esteja aqui para ver a cárie no molar do Sr. Laird.

— Eu só precisava sair — respondeu Finn.

— Apareceu outro portal esta manhã? Eu não vi nada de chuva. Ou tem a ver com o outro dia? Tem um motivo para aquela cozinha ter ficado com cheiro de camarões podres, não tem?

Finn analisou o que ele queria dizer e o que ele devia dizer. Decidiu-se por uma versão editada e adequada para sua mãe.

— Eu meio que atirei em um barco.

— Um barco?

— Uma traineira.

— Ah, Finn…

Da cadeira, veio um gorgolejo.

— Uuuu posss virrrr nuvesss.

— O que foi, Sr. Laird? — perguntou a mãe de Finn, tirando o instrumento que mantinha a boca do paciente aberta.

— Eu posso ouvir as nuvens — disse o Sr. Laird, sonhador.

— A coisa é boa, não é? Agora vamos tirar esse dente.

Alguns minutos depois, o dente havia sido arrancado e o paciente estava balbuciando feliz na cadeira.

— Vamos dar a você um tempinho para se recuperar, Sr. Laird — disse-lhe a mãe de Finn, puxando a máscara para debaixo do queixo.

— Mãe? — começou Finn.

— Sim? — disse ela.

— Você se arrepende? De ter se casado com o pai, eu digo. Um Caçador de Lendas. E de ter ficado em Darkmouth.

— Ah, Finn, essa é uma pergunta pesada. Duas perguntas, eu suponho, mas com respostas completamente diferentes.

Ela começou a arrumar o consultório. O Sr. Laird estava roncando baixinho.

— Eu gostei do seu pai desde o momento em que o conheci.

Finn se contorceu com esse tipo de conversa, já meio arrependido de ter perguntado.

— Todos gostavam, Finn. — Ela deu uma risada calorosa. — Quanto a Darkmouth, bem, eu não gostava muito. Cresci aqui e, como muitos outros, sempre pensei que iria embora. Mesmo quando me casei com o seu pai, nenhum de nós achou que as Lendas iriam durar. Elas estavam sumindo em todos os outros lugares; então, por que não aqui?…

Ela começou a recolher seus instrumentos, levando-os para uma pia, enquanto falava.

— Mesmo quando você nasceu, eu me convenci de que você seria treinado e se divertiria um pouco, passaria momentos legais com o seu pai, mas nunca teria que usar todas essas habilidades. Mas as Lendas não pararam. E o seu pai, bem, ele não parou também. Talvez eu não devesse ficar surpresa por ele ser tão motivado, com a família que teve e, especialmente, com a maneira como tudo mudou depois do seu avô Niall, mas, ainda assim…

— Mãe, o que aconteceu com o vovô? O pai nunca falou sobre isso.

— Tenho certeza de que ele vai contar quando estiver pronto, Finn.

— Ele contou para você? — Finn perguntou.

— Não.

Finn observou a mãe colocar com cuidado os instrumentos ao longo de um grande rolo de papel, alinhando-os com mãos de especialista, contando-os, garantindo que tinha todo o necessário. Ela lavou as mãos metodicamente. Finn admirou a precisão, o cuidado, imaginou a si mesmo se preparando para o trabalho naquele dia, aprontando-se para curar em vez de machucar.

— Vai ser estranho quando ele passar tanto tempo longe — comentou Finn. — O pai, quero dizer. Ele sempre esteve por perto.

— Talvez não seja tão ruim — sua mãe falou, secando as mãos. — Talvez isso me dê umas férias finalmente. Uma chance de enfim poder sair de Darkmouth de vez em quando. De ser normal. Pelo menos, o mais próximo de normal que ser casada com um Caçador de Lendas pode ser.

A preocupação invadiu o rosto de Finn. Sua mãe percebeu.

— Não se preocupe, não vamos abandoná-lo. Eu não vou abandoná-lo. E você nunca vai ficar sozinho. Tenho certeza de que seu pai espera que o Ernest… O Sr. Glad… esteja por perto para ficar de olho em você, ajudar quando você precisar.

— Há quanto tempo você conhece o Sr. Glad? — perguntou Finn.

— Por quê? — disse ela, um pouco na defensiva. — O que o seu pai andou falando?

— Nada.

Finn chutou o chão com a ponta do sapato.

A mãe o observou por um momento antes de falar:

— Ernest e eu crescemos na mesma rua e estudamos juntos na escola. Fomos muito amigos durante um tempo.

— Amigos quanto? — perguntou Finn, sem ter certeza se queria uma resposta.

— Nós saímos juntos por um tempo, mas antes de eu namorar o seu pai.

— Era sério?

— Não! — respondeu sua mãe, enfática. — Não para mim, de qualquer forma. Ainda assim, isso foi há muito tempo. Seu pai apareceu e, bem, foi isso. Ernest virou Reparador para o seu pai, viajou um pouco, mas sempre voltou para aquela loja dele. Eu não o vi muito ao longo dos anos. Fiquei um pouco surpresa ao vê-lo sentado na cozinha no outro dia, em especial naquele estado encharcado.

O Sr. Laird roncou e acordou.

— Então, Sr. Laird. Está se sentindo melhor? — perguntou a mãe de Finn.

Ele estava olhando para as próprias mãos, agitando os polegares.

— Já reparou na cor das pontas dos dedos? É meio… musical.

— Acho melhor chamarmos alguém para lhe dar carona, Sr. Laird.

— Meus dedos estão empurrando o céu.

Finn olhou para ele, franziu o nariz.

— O que ele disse?

— Sr. Laird? — disse a mãe dele.

— Sim.

— Os meus dedos — repetiu o Sr. Laird, sonhador. — O céu.

— Aí está — disse a mãe de Finn.

— Empurrando o céu — murmurou Finn.

— Essa coisa realmente faz a sua cabeça ficar meio doida — contou ela.

Finn havia parado de ouvir. Tudo o que ele escutava eram as palavras do Sr. Laird se repetindo na sua mente, cutucando seu cérebro até o entendimento surgir de repente. *Empurrando o céu.* Ele deu um pulo e foi correndo para a porta.

— É melhor eu ir. Obrigado, mãe, até mais tarde.

— Finn?

Mas ele tinha ido embora.

27

Finn correu direto para a Biblioteca, seguindo os estrondos e zumbidos de atividades agora familiares.

— Pai, acabei de pensar em uma coisa!

O pai de Finn estava mexendo na máquina, tentando tirar alguma coisa de uma fenda. O Sr. Glad emergiu do outro lado do aparelho com as mangas da camisa enroladas até os cotovelos. Ele levantou o queixo como forma de cumprimento.

A menor das gaiolas vazias da sala havia sido puxada para a frente. Entre ela e o aparelho havia uma pequena mesa redonda com dois itens: uma maçã e o aquário do peixinho dourado de Finn. Bolhas, o peixe, colidia preguiçosamente contra o vidro.

No chão, em frente ao aparelho, havia um círculo de bonsais.

— Pai, acabei de descobrir uma coisa sobre o homem do portal.

— Vá em frente — disse o pai, sem levantar o olhar.

— Pensei que o homem estivesse pegando alguma coisa dele. De qualquer forma, foi o que pareceu para mim.

— Ahã?

Com um resmungo, o pai soltou a peça qualquer na qual trabalhava. Ela brilhou, queimando levemente seus dedos.

— Mas e se ele não estivesse *pegando* algo do portal, mas sim *colocando algo nele?*

— Como o quê? — disse o pai, distraído.

— Não sei. — Finn não sabia. Não tinha pensado tão longe. — Que tal um objeto? Ou talvez uma mensagem?

O pai balançou os dedos ardidos e se levantou para pensar na ideia. Seu rosto ganhou devagar um aspecto que Finn não conhecia totalmente, mas supôs que pudesse ser algo próximo de respeito.

— Nada mal — disse ele. — Imagino que faria sentido se alguém daqui estivesse trabalhando com… Espere, o que aconteceu com a sua cabeça?

Sem pensar, Finn arrancara o gorro ao entrar correndo na casa, expondo o corte na sua têmpora.

— Nada — disse ele.

— Nada? — perguntou o pai. — É bastante sangue para "nada".

O Sr. Glad, que estivera se ocupando com a máquina, interrompeu:

— Acho que estamos prontos, Hugo.

Finn olhou para a máquina e, depois, para o aquário do seu peixinho dourado.

— Humm, por que o Bolhas está aqui?

Os dois homens o ignoraram, dedicando-se a uma série de averiguações e verificações cruzadas enquanto Finn andava de um lado para o outro, sentindo-se um pouco menos confiante. O Sr. Glad avançou com cuidado sobre o perímetro dos bonsais, caminhou até as prateleiras ao lado e começou a procurar entre os potes.

— O que vamos usar? Um Hipalectrion? Muito imprevisível. O Hipogrifo? Muito perigoso.

— Eu quase perdi um rim para ele — contou o pai de Finn.

— Aquele foi um dia difícil mesmo. Que tal o Hogboon?

— Sim, use-o. Ele trouxe o cristal para cá, pode ter o privilégio de ver como estamos fazendo bom uso dele.

O Sr. Glad levantou a tampa do pote e colocou a bola dura do Hogboon dissecado na gaiola.

O pai de Finn correu até uma parede e pegou um Dissecador. Com mãos experientes, puxou e liberou o cano, virando o cabo para o outro lado. Ele retirou o recipiente da arma, espiou dentro, balançou-o um pouco e, depois, rosqueou o recipiente e o cano um no outro até se parecerem mais com uma vara com um lado gordinho.

— Eu nunca mostrei uma Reanimação para você antes, Finn — disse o pai. — Nunca precisei. Você vai amar isto.

Finn havia apenas lido a respeito de Reanimações e entendia o processo tão bem quanto entendia a ciência por trás de um Dissecador... Que não era quase nada.

— Desde que seja orgânico — explicou o pai —, o que pode ser encolhido pode também ser trazido de volta ao seu tamanho e formato adequados. Na maior parte das vezes. O plano é trazer esse cara de volta para podermos testar o dispositivo. O Sr. Glad ofereceu-se para ajudar.

— Eu serei o belo assistente deste truque de mágica — sorriu o Sr. Glad.

O pai de Finn desconectou a peça do gatilho do Dissecador e, enquanto caminhava de volta, encaixou-a em um sulco na base do recipiente.

— O Dissecador e o Reanimador fazem a mesma coisa, de certa forma, Finn, mas ao inverso. Um encolhe, o outro expande. Mesmo princípio, mesma química, apenas ao contrário. Os Caçadores de Lendas sempre precisaram de duas armas, uma para cada função, para o caso de desejarem reanimar uma Lenda para interrogá-la ou fazer algum experimento. Ou então só para perturbar mesmo. Mas eu achei que uma bastava e, assim, adaptei o Dissecador para fazer os dois trabalhos com uma só arma.

— Ele fez o primeiro quando tinha apenas quinze anos — observou o Sr. Glad, ainda mexendo tranquilo no dispositivo. — Deu o nome de De-Dissecador.

— Pareceu bom na época — disse o pai, enquanto segurava a arma reconstituída em frente ao olho direito, espiava ao longo de sua extensão e, depois, sentia a resistência do gatilho colocado sob o recipiente.

— Mas por que você precisa do meu peixe? — perguntou Finn.

— Há anos nós lidamos com as Lendas uma a uma — disse seu pai. — Atirar em uma, colocá-la em um pote, esperar outra, atirar, colocar em um pote, e assim por diante, ataque após ataque. A máquina na qual estou trabalhando vai pará-las de uma vez por todas. A dificuldade era fazer isso sem transformar toda Darkmouth em um caroço gigante. E é aí que ter algumas Lendas vivas nas prateleiras se torna útil.

Ele se aproximou da gaiola, o cano da arma estendido. Com o polegar, empurrou a lingueta de latão para cima e um ganido baixo soou lá de dentro, ficando cada vez mais agudo até se tornar impossível de ouvir. Depois, um *tique*, *tique*, *tique* contínuo. O Reanimador estava pronto.

Bolhas mordiscava a pedra no fundo do aquário.

— Vamos fazer uma tentativa, mas, quando eu falar para correr, você sai depressa por aquela porta, entendeu? E não entre até eu mandar.

Finn fez que sim com a cabeça. Sua têmpora pulsou.

— E quanto ao Bolhas?

— Se tudo for de acordo com o plano, ele estará comendo seu próprio cocô hoje à noite como sempre.

Por entre as barras da gaiola, o pai de Finn deu uma cutucada na bola dura do Hogboon com a vara. A Lenda dissecada foi brevemente envolvida por um brilho verde forte e homogêneo, que desapareceu depressa.

A bola pulou. Como um feijão saltador, ela se jogou para a frente, para o lado, para a frente de novo.

Houve um berro ensurdecedor.

28

Broonie gritou.

E gritou.

E continuou gritando.

Se o grito tivesse sido quebrado nas suas partes constituintes, teriam descoberto que ele continha aproximadamente quarenta e três vogais, vinte e oito consoantes e vários sons que poderiam se encaixar em qualquer uma das categorias, ou em nenhuma, ou nas duas.

Ele não conseguia decidir direito o que era pior: ser dissecado ou ser reanimado. Ele havia aprendido um pouco sobre dissecação. Ensinavam sobre isso no Lado Infestado; como a Rede cobria a Lenda, desacelerando bastante seu metabolismo de forma que, do ponto de vista da vítima, o tempo se esticava mais do que o meio segundo que demorava na verdade para ser dissecada. Quanto o tempo se esticava dependia do tamanho. Para uma criatura com o tamanho aproximado de um adulto humano — ou um humano mesmo —, esse tempo podia ser tão longo quanto um dia, dependendo do que ela comera no almoço.

Para, digamos, uma Hidra, porém, com cerca do tamanho de três elefantes, com suas sete cabeças de dragão, a experiência de dissecação se estenderia por um tempo horrivelmente longo. Para a única Hidra que já fora atingida por um Dissecador, a sensação foi de que ela ficara congelada por exatamente 243 anos. Sendo que isso aconteceu havia 150 anos, ela presumivelmente ainda estava lá, de acordo com a sua perspectiva, e estava bem furiosa.

A experiência de Broonie envolvera a sensação de ficar preso ali por muitíssimas horas, enquanto o mundo em volta dele parecia congelado. Não havia nada a fazer a não ser esperar enquanto a corrente penetrava cada parte do seu corpo; cada fibra, cada célula, cada molécula. Broonie descobriu que uma das grandes clemências da rede do Dissecador era que, durante essa fase, a vítima não sentia nada. A não ser, é claro, um enorme tédio.

Por fim, conforme o processo chegava perto do fim, uma sensação levemente peculiar, surgia, meio como uma borboleta cochilando no

Hidra

pescoço de Broonie. Ele até se permitiu pensar: "Quer saber? Isso não é tão ruim, afinal de contas".

Depois, nada.

Até.

A fase final da Reanimação acontecia da seguinte forma:

Ter o corpo puxado pelo nariz por meio de um coador de chá.

Ser uma bexiga um milissegundo antes de ela estourar.

Acordar e descobrir que todas as suas entranhas estão viradas para fora. (Isto é, para fora de casa.)

Quando Broonie enfim parou de gritar, ele ficou deitado no chão arfando por um momento antes de avaliar com precisão onde estava. Que era uma gaiola. Em uma sala grande. Em um mundo de dor.

A clemência máxima da Reanimação era o fato de ela durar por um relativamente curto espaço de tempo, e havia uma pequena parte do dedo do meio do seu pé direito que não sentia dor nenhuma. Pelo menos não tanta dor se comparado ao restante do corpo.

O ar, porém, era revigorante. Claro. Limpo. Fresco. O ar do Mundo Prometido. E, quando ele voltou a si, ficou claro que havia três humanos encarando-o. Ele não reconheceu o mais velho, mas os outros dois eram familiares. Um era o Caçador de Lendas. O outro era o menino.

Broonie forçou o corpo para cima, devagar, com dor, tentando colocar o máximo de peso que podia no único dedo do pé direito que não estava tão ruim. Ele acabou se erguendo o bastante para estender uma mão na direção do menino.

Apontou um dedo para ele.

— O que ele está fazendo? — perguntou o menino.

— Carregue o dispositivo, Hugo — disse o homem mais velho.

— Espere! — gritou o garoto.

Broonie estendeu o dedo na direção do menino e permitiu-se falar, agora que tinha outra chance de transmitir sua mensagem.

— O... — ele conseguiu dizer.

O pai de Finn girou um grande botão cerca de um terço do caminho do medidor.

— Agora, Hugo!

— … menino… — balbuciou Broonie.

O Caçador de Lendas apertou com força um grande botão vermelho.

— … vai…

No visor lateral do dispositivo, os cristais brilharam e, depois, soltaram uma luz amarela que encheu a sala por um momento.

Broonie gorgolejou uma última palavra, mas ela foi engolida por um poderoso som saído do dispositivo, como se ele estivesse tomando fôlego suficiente para sugar todo o oxigênio da sala.

— Corra! — gritou o Caçador de Lendas, mas o menino ficou onde estava, a boca aberta, até ser agarrado pelo cotovelo e levado embora.

Uma explosão rasgou a sala, seguida por uma onda de choque de átomos crepitantes. Broonie ergueu os braços em defesa, mas foi inútil.

Com um *uooop* contido, ele foi mais uma vez sugado e transformado em uma bola dura, pequena o bastante para caber dentro de um bolso comum.

Era um pouco mais agradável do que ser reanimado.

Mas apenas um pouco, bem pouco.

29

Finn, seu pai e o Sr. Glad entraram correndo na sala de novo. Finn estava confuso e desesperado por saber exatamente de quem, e por que, e quando, e sobre o que aquele Hogboon estivera falando.

Seu pai correu direto para a gaiola, que ele pegou e sacudiu até a porta se abrir e o Hogboon dissecado rolar pelo chão.

O Sr. Glad pegou a maçã.

— Posso? — perguntou ele.

— Por favor — disse o pai de Finn.

O Sr. Glad deu uma grande mordida na casca rosada da maçã, mastigou-a e fez uma expressão de como se fosse a maçã mais gostosa em que qualquer ser humano já tivera o prazer de enterrar os dentes.

O pai de Finn jogou-se no chão, apoiado nos joelhos e nas mãos, e inspecionou os bonsais.

— Nem mesmo um galhinho fora do lugar. Nem uma folha. Nada!

Ele pulou e ficou em pé de novo.

Finn andou até o peixe, batendo no vidro para ver se Bolhas estava bem.

— Acho que funcionou — declarou o pai.

— Você conseguiu, Hugo — disse o Sr. Glad, dando outra mordida na maçã. — Isso é ótimo.

— Pai... — Finn pronunciou em voz baixa.

— Eu não tinha certeza, Glad, para ser sincero. Digo, eu tinha oscilado a frequência e diminuído o alcance e tudo o mais, mas, ainda assim, não podia ter certeza.

— Pai, o peixe... — Finn emitiu um pouco mais alto.

— Você teria deixado o Gerald orgulhoso, Hugo.

A alegria do pai de Finn diminuiu um pouco com isso.

— Desculpe, Hugo. Eu não quis lembrá-lo de... Não foi minha intenção.

— Pai?

— O que foi, Finn?

Ele andou até onde Finn estava inspecionando o aquário.

— Pai, cadê o Bolhas?

O peixinho dourado havia sumido. O único sinal de que ele estivera ali eram seixos remexidos, flutuando devagar para baixo, e algumas escamas boiando soltas na superfície. Finn olhou pelo chão, mas Bolhas não havia saltado e caído. Ele simplesmente desaparecera.

Um franzir de sobrancelhas havia se instalado no rosto do pai de Finn. E não iria embora tão cedo.

— Eu compro outro peixinho dourado para você. Você não vai notar a diferença.

Finn pensou em todas as coisas que poderiam ter acontecido com Bolhas. Talvez ele tivesse sido dissecado e transformado em algo menor do que um grão de poeira. Talvez ele tivesse sido liquidado, explodido, desintegrado, ficado invisível. Qualquer coisa. Ele sentiu a perda profundamente. Seu único bichinho de estimação. O único animal que lhe permitiam manter em um aquário no seu quarto, em vez de em um pote na Biblioteca.

— Pobre Bolhas — murmurou Finn.

Depois, lembrou-se das palavras do Hogboon.

— Ele falou de novo, pai. O Hogboon disse algo para mim. Era para mim, com certeza.

— Finn, você tem que ignorar isso — disse o pai. — Ele estava desorientado. A cabeça dele estava toda confusa.

— Mas ele estava falando comigo.

— Finn, estamos tentando criar a maior arma que qualquer Caçador de Lendas poderia desejar. Certo, ela ainda precisa de adaptações. Está óbvio que há algum tipo de problema aqui que precisamos analisar, mas espalhamos uma onda que encolheu uma pequena Lenda, mas não a maçã ou a planta. Não sei o que aconteceu com o peixe, mas vamos tentar descobrir. Eu não sei se isso vai funcionar com Lendas maiores, mas vamos tentar descobrir também. Isso vai mudar tudo. Para nós. Para você.

— Mas o Hogboon… — suplicou Finn.

— *Já chega* do Hogboon! — disparou seu pai. — Você não pode me deixar ter um momento de prazer?

O clima estragou, o Sr. Glad largou a maçã e começou a recolher algumas das peças espalhadas em volta do aparelho. Finn foi até a mesa e levantou o aquário, com cuidado para não deixar a água derramar. Só para o caso de Bolhas ainda estar ali. Invisível. Ou apenas muito pequeno.

— Finn, está na hora do treinamento — disse o pai.

— O quê? — protestou Finn, uma pequena onda pulando do aquário e respingando em volta da sua mão.

— Eu vou dar quinze minutos para você.

Finn saiu da Biblioteca e não voltou por dezenove minutos. Foi o protesto mais corajoso que ele conseguiu fazer dadas as circunstâncias.

30

— Vamos, Finn, isso poderá salvar sua vida.

— Que vida? Eu não tenho vida. Estou aqui fazendo isto com você.

Finn estava usando seu traje de luta, que o pai lhe entregou assim que ele chegara à sala de treinamento. Finn interpretou aquilo como um sinal agourento, que pesava quase tanto quanto sua armadura desengonçada.

Ele tentou executar de novo o movimento que o pai estava lhe ensinando. E não conseguiu de novo.

Finn estava frustrado: ele *sabia* aqueles movimentos. Sabia como deveriam ser feitos. Conseguia repassá-los na cabeça. Podia até imaginar o próprio corpo executando-os.

Ele só não conseguia, bem, realmente *fazê-los*.

Finn deslizou, depois deslizou mais um pouco, fez uma careta e se levantou cambaleando, uma espada de madeira estendida e balançando. Enquanto se erguia, ele se distraiu com o Dissecador jogado em um canto. Finn tinha a preocupação incômoda de que ele estava ali por um motivo ainda não revelado.

O Sr. Glad entrou na sala e observou.

— Baixe os quadris e deslize — sugeriu ele. — Não force. Use seu impulso. Deixe que eu mostro.

— Nós damos conta disto, Glad, obrigado — disse o pai de Finn, irritado. — Acho que tinha um problema com o flutuador central do aparelho; você se importaria de verificar isso? Talvez precise de uma mola ou algo assim.

— O flutuador central? — perguntou o Sr. Glad.

— É a coisa que parece o aspirador de pó velho. É o aspirador de pó velho.

O Sr. Glad esperou um momento, suas sobrancelhas revelavam um pouco de irritação, antes de sair devagar arrastando os pés.

— Agora, Finn — disse o pai. — Baixe os quadris. Sinta os padrões.

— *Sinta* os padrões? Eu nem sei o que isso significa — disse Finn.

— De movimento. Em você mesmo. Dos seus oponentes. Está tudo na sua mente.

O pai de Finn jogou-se no chão, deslizou com habilidade e saltou para ficar em pé de frente para Finn novamente, sua espada de madeira suspensa com estabilidade na ponta do nariz do filho.

— Então você acaba com eles. Entendeu, Finn?

— Não.

— Ótimo — disse o pai. — Agora tente de novo.

Finn tinha a terrível consciência do quanto era desajeitado. Em vez de o movimento terminar com ele saltando para ficar em pé com agilidade fluida, ele se ergueu como um velho tentando sair da cama enquanto usa um chapéu de concreto.

— Isso foi bom — comentou o pai.

— Se você vai mentir, pelo menos faça algum esforço — respondeu Finn, arfando.

Seu pai o ignorou.

— Vamos fazer de novo.

Finn fez uma nova tentativa, desta vez tropeçando para trás enquanto tentava se levantar e terminando de costas no chão, antes de rolar para se levantar com dificuldade de novo.

De olhos fechados para manter um pouco da compostura, seu pai disse:

— Certo, mais uma vez. Devagar. Eu vou primeiro.

— Eu não quero — avisou Finn.

— Você tem que querer.

— Por quê? — perguntou Finn, segurando a espada sem firmeza ao lado do corpo. — Você está construindo uma máquina lá que vai fazer o trabalho por mim. É só apertar um botão e elas vão sumir. Eu não preciso fazer isso agora.

— Errado — disse o pai, a dureza agora era evidente na sua atitude. — Você foi para a escola hoje e voltou com um machucado.

— Foi uma árvore!

— Pelo que parece, você foi atingido por alguma coisa. Muito larga para ser uma pedra. Definitivamente não foi um galho.

O rosto de Finn revelou seus pensamentos. Seu pai mudou para um tom mais reconfortante.

— Finn, por duas vezes em poucos dias, você teve que lutar com pessoas em vez de Lendas. A verdade é que, se você não conseguir lidar com um, não vai conseguir lidar com o outro. Eu sei que nem sempre é fácil, mas acredito em você. Tenho fé em você. Você é o meu garoto. Vai conseguir.

— Eu preciso saber o que… — Finn começou a dizer.

— Eu vou ensinar exatamente o que você *precisa* saber — interrompeu o pai.

— Não, eu preciso saber o que o Hogboon queria dizer.

O pai se afastou, mas Finn insistiu:

— Você sabe de alguma coisa que eu não sei, pai? Tem alguma coisa que você não me contou.

O maxilar do seu pai estava tenso. Uma pequena veia pulsava no seu pescoço.

— Talvez um desafio o ajude a ficar mais afiado — anunciou ele, antes de caminhar para fora da sala.

O pai voltou com algo nos braços, coberto com um lençol azul. Colocou-o no chão entre Finn e o Dissecador.

— Às vezes, a maneira mais rápida é se jogar de vez.

Ele puxou o lençol.

— Reanimei uma Lenda para você.

Ali, roncando baixinho, estava uma Manticora. Os ferrões venenosos do seu rabo estavam todos protegidos com uma rolha de vinho e sua boca estava amordaçada, mas tinha as patas livres.

O pai de Finn começou a recuar para fora da sala.

— Aonde você vai? — perguntou Finn, lutando contra o pânico em sua voz.

— Basta se lembrar do seu treino — disse seu pai.

Ao sair, ele puxou uma corda do cinto em volta da sua cintura e chicoteou a Manticora no traseiro. Ela acordou berrando.

— Pai!

Uma grade se abriu na porta e Finn viu os olhos do pai espiarem através dela, e depois, por um instante, sua boca.

— Você vai ficar bem. Bom garoto.

31

A Manticora estava tonta e desorientada, como se estivesse acordando de um cochilo no meio da tarde, mas seu instinto funcionou imediatamente e, ao ver Finn, ela lançou um ferrão nele. O ferrão quicou na testa do menino e saiu rolando, ainda enfiado na rolha.

A Manticora subiu para o teto, enterrou as garras e ficou presa ali por um momento, tentando recuperar os sentidos. Finn imaginou que ela também estava tentando pensar em uma charada cruel para chocá-lo.

O pai de Finn estendeu a mão pela porta e apertou um interruptor, que fez faíscas dançarem pelo teto. A Lenda berrou e caiu no chão, com um terrível cheiro de pelo queimado.

Finn correu para a porta, mas era tarde demais. Ela foi fechada de novo.

Recuperando-se, a Manticora concentrou-se em Finn.

— Mmmpf mmpf mmmmmmpf — a Manticora enunciou uma charada, mas enfim percebeu que estava de boca amarrada.

Isso tinha arrancado, evidentemente, a última casquinha da sua dignidade. Músculos pulsaram nas suas patas dianteiras, a agitação dos ligamentos desceu até suas garras saltarem à vista. Eram adagas de marfim, muito brancas na luz fraca. A Lenda avançou sobre Finn, que ergueu um braço por instinto, jogando a Manticora contra a parede com um baque surdo.

Mas a Lenda se recuperou depressa e partiu de novo para cima de Finn, que recuou e levantou a espada de madeira, apertando-a contra a barriga da criatura e passando-a por cima da sua cabeça.

— Bom menino — gritou seu pai do lado de fora.

— Pare, pai, isso é injustiça!

— Você está indo muito bem. Cuidado!

A Manticora pousou direto no peito de Finn, as garras arranhando a chapa da armadura e fazendo-o se curvar enquanto o forçava até o chão. Finn segurou as duas extremidades da espada, usando-a para afastar a criatura enquanto ela arranhava seu rosto com fúria, até que instintivamente ele usou o cabo para golpear a Lenda no olho.

Enquanto a Manticora berrava e o largava, Finn levantou-se depressa.

— Está indo muito bem! — ele ouviu o pai dizer, mas o tempo havia desacelerado, sua visão diminuíra.

Tudo o que ele via era a Manticora preparando-se no canto oposto da sala e, depois, pulando na sua direção.

Finn sentiu-se alerta em cada momento enquanto a Lenda se lançava no ar desenhando um arco até ele. Ele deslizou por baixo dela, a espada ao seu lado, em direção ao Dissecador, e, com uma destreza que o surpreendeu, voltou a ficar em pé em um único movimento.

Acontece que, como já acontecera com Wrigley, o Sem-Cabeça, ele fez isso cedo demais.

Finn colidiu contra as costelas da Manticora, o que fez com que os dois caíssem no chão gemendo de dor.

Seu pai entrou de novo.

— Foi muito melhor, Finn — disse ele. — A melhor que você já fez.

Os ouvidos de Finn estavam zumbindo. A Manticora gorgolejava em protesto no chão.

— Isso não foi justo! — gritou Finn, dando tapinhas nas orelhas na esperança de que o zumbido parasse.

— Mas funcionou, Finn — disse o pai, agarrando-o pelos ombros. — Mais ou menos, de qualquer forma. Você vai ser um grande Caçador de Lendas um dia. Só precisa de um empurrão, isso é tudo.

— Tudo o que você faz é botar pressão — disparou Finn. — Talvez todo mundo esteja certo. Talvez as Lendas só venham aqui por nossa causa. Por *sua* causa.

O pai o soltou, deu um passo para trás.

— Por que, pai, você passou todos os anos lutando contra essas coisas, e todas as pessoas naquelas pinturas passaram a vida lutando contra essas coisas, mas elas ainda estão vindo? Você nunca muda. Sou eu quem precisa aprender, mas você nunca aprende nada.

Finn jogou a espada de madeira no chão e começou a arrancar seu traje de luta.

— Olha, Finn — disse o pai —, esta não é uma vida fácil...

— Talvez não deva ser a minha vida! — gritou Finn, puxando o traje de luta por cima da cabeça. — Tem alguma coisa que você não me deixa ouvir, algo que você não me conta. Aquele Hogboon fica tentando me dizer e você fica calando a boca dele.

— Estou fazendo o melhor que posso por você, Finn.

— Você fica me dizendo o que eu vou ser. Você nunca perguntou o que eu *quero* ser — disse Finn, agora sentado no chão, puxando a perna da armadura do traje de luta. — Não vou ser isso. Não vou ser você.

O traje enfim saiu, Finn levantou-se e saiu correndo pela porta, deixando o pai sozinho na sala de treinamento.

Da porta, a Manticora deu um gorgolejo amordaçado de protesto. O pai de Finn se lembrou de que ela estava lá, pegou o Dissecador e disparou-o casualmente. O murmúrio breve e atordoado da Lenda foi um lembrete de despedida para si mesma para simplesmente ficar calada da próxima vez.

32

Finn saiu correndo da sua casa direto para a casa de Emmie. Ele bateu na porta dela fazendo muito barulho. Não houve resposta. Recuou e procurou sinais de vida na casa, mas não havia nada. Ele bateu com força na porta de novo, só por garantia, e, desta vez, ela cedeu. Ele a abriu e, com apenas um momento de hesitação, entrou.

— Emmie?

Ainda não houve resposta. Ele procurou na cozinha, espiou no pequeno jardim dos fundos e bisbilhotou na sala de estar, onde o único sinal de vida era a TV deixada ligada com o volume baixo.

Cada parte da casa estava quase vazia. Não havia quadros nas paredes, poucos móveis, nenhum enfeite ou abajur. Exceto por um pouco de comida na cozinha, mal parecia que alguém morava ali.

Na TV, uma plateia explodia em risadas e aplausos. De cima, Finn ouviu um barulho. Sapatos sendo arrastados, talvez.

— Emmie?

Com cuidado, ele subiu a escada estreita. Um chiado acima o fez parar por um instante, mas ele se forçou a continuar. Escolheu uma porta e abriu, devagar. Algo caiu nele. Assustado, deu um chute, antes de perceber que era apenas uma pilha de toalhas e que ele havia aberto a porta do roupeiro.

Ele se recompôs, escolheu outra porta e a abriu.

O aposento estava mal iluminado, as cortinas meio puxadas, de forma que a luz atravessava as frestas. Mas ele conseguia ver com clareza uma fileira de câmeras, todas montadas em tripés e viradas para a janela.

Certo de que não havia ninguém no aposento, Finn andou até o equipamento. Havia uma câmera de vídeo e o restante tinha lentes de longo alcance, para tirar fotos a distância. Mas do quê? Finn subiu nas pontas dos pés e examinou uma delas. O que ele viu fez sua cabeça girar.

As lentes estavam focadas em uma casa. A casa de Finn.

Finn passou para a outra câmera. Ela também estava virada para a sua casa e era de vídeo. Finn procurou um botão de reprodução, apertou-o e viu a gravação de si mesmo saindo correndo da sua porta da frente alguns minutos antes, o gorro de lã puxado sobre a cabeça.

Ele rebobinou. Lá estava o Sr. Glad entrando na casa. Ele rebobinou mais e viu a gravação de seu pai entrando e saindo da van com peças, sua mãe lhe dando um beijo na bochecha antes de ir para o trabalho.

Finn sentiu-se ficar cada vez mais enjoado.

Emmie e o pai dela o estavam *espionando.*

Uma descarga foi acionada. Passos. Uma porta à esquerda de Finn se abriu e, parado ali, estava um homem com um jornal sob o braço e os olhos arregalados de surpresa. Ele se moveu na direção de Finn.

— Ah, olá. Não era para você estar aqui.

Finn fugiu antes que o homem conseguisse pegá-lo, pulando escada abaixo quatro degraus por vez e se jogando pela porta da frente, em pânico, para chegar em casa. Emmie chegou ao mesmo tempo, uma sacola de compras na mão. Ele a encarou. Sua amiga de repente era uma estranha para ele.

— Finn? — perguntou ela.

Ele continuou correndo.

33

Assim que Finn entrou correndo em casa, disparando uma avalanche de informações apressadas, seu pai pegou o Dissecador e se lançou na direção da rua. O Sr. Glad o seguiu, franzindo as sobrancelhas.

O homem da casa de Emmie virou a esquina correndo. Em vez de parar de repente ao ver a arma, ele diminuiu a velocidade para uma corridinha antes de caminhar de um jeito despreocupado, como se fosse uma coisa totalmente normal ter um Dissecador apontado para si.

Finn viu Emmie parada a uma curta distância do homem. Ela lhe lançou um olhar de súplica. Ele não manteve o contato visual e, em vez disso, deixou a dor queimar através de si.

— Quem é você? — quis saber o pai de Finn, com uma autoridade que eliminava qualquer necessidade de gritar.

— Sou o pai da Emmie.

— Interessante. — O pai de Finn manteve a arma estável. — Eu imagino que "pai dono de casa" não é o que está no seu cartão de visita. Então, o que é?

— Eu não ficaria balançando esse Dissecador. Se ele disparar, você não vai conseguir muitas respostas minhas.

— Se eu tiver que perguntar de novo, vai ser depois que eu dissecar e então reanimar você dentro da barriga de um Cérbero doente. Então, pela última vez...

O pai de Emmie inflou o peito.

— Sou filho de Eric, o Invencível. Neto de James, o Eterno. Bisneto de...

— Eu pedi para você me dar uma lista das suas tias-avós ou será que perguntei o *seu* nome?

— É Steve — disse Emmie, dando um passo à frente.

O pai lançou um olhar severo para ela.

— Steve?

Hugo gaguejou com um riso simulado.

— É mesmo? *Steve*? Você ouviu isso, Glad? Não é bem o nome de um traidor. *Steve*. Se você vai escolher um nome de disfarce, escolha algo um pouco mais maldoso, como...

— Herman — sugeriu o Sr. Glad.

— Ou Átila — acrescentou o pai de Finn. — Algo mais, não sei, traidorento.

Ele olhou para o Sr. Glad

— Existe essa palavra, "traidorento"?

O Sr. Glad encolheu os ombros. O pai de Emmie parecia irritado.

— Eu não sou traidor.

— Nós só viemos ajudar — disse Emmie, diretamente para Finn, implorando em silêncio uma resposta.

— Eu deixei você entrar na minha casa... — Finn começou, dando um passo para trás. Ele sentiu o mundo se dissolver sob seus pés; uma enorme fenda de decepção escavando seu peito. — Eu contei coisas para você.

— Deixe isso comigo, Emmie — falou o pai dela.

— Sim, ouça o Steve, mocinha — disse o pai de Finn. — Então, o que o trouxe a Darkmouth de verdade, Steve? Você é meu fã? Se só queria um autógrafo, tudo o que precisava fazer era pedir. Finn, pegue uma caneta.

— Você não sabe mesmo, não é, Hugo?

— É claro que sei.

O pai de Finn deu passos largos para a frente, a arma ainda erguida.

— Você é Caçador de Lendas, como a aulinha de história da sua família sugeriu, mas você tem a pele macia de um Caçador de Lendas que não caça Lendas e é tonto como um filhotinho de cachorro. Conheço o seu tipo. Você Concluiu há muito tempo, mas não vê uma Lenda de verdade há, o que, anos? Décadas? A questão é: por que eu estou sendo espionado por você e pela ajudante do Papai Noel?

Steve devolveu o olhar fixo dele.

— Você vai fazer parte do Conselho dos Doze, Hugo. Acha que eles simplesmente mandam um convite pelo correio e esperam que você apareça?

— Eu não espero que eles enfiem a lente de uma câmera pela minha janela.

— Verificações, Hugo. Procedimentos. Eles devem ter dito isso a você.

— E foi você que eles mandaram? Estão ficando sem funcionários nos últimos tempos? — perguntou o pai de Finn.

— Eles precisam saber que podem confiar em você para se juntar a eles, Hugo — continuou Steve, esforçando-se para manter uma sensação de controle, de que ele tinha o comando da situação. — E que podem confiar no menino para ficar e cuidar de Darkmouth quando você não estiver aqui.

A boca de Finn se abriu. Mas não havia nada que ele pudesse dizer conforme a humilhação se acomodava na sua mente de novo.

— Então, fui enviado para avaliar você. E o que eu encontrei? — perguntou Steve. — Lendas provocando o caos. Você deixando seu garoto sozinho em um portal e ele quase se afogando.

— Esta é uma Vila Flagelada, *Steve*.

— A única que ainda é realmente flagelada por Lendas.

— O que você esperava? Uma quermesse? Talvez uma fazendinha — ironizou o pai de Finn.

— Eu não esperava *esta* bagunça, com certeza — respondeu Steve.

— Então — continuou o pai de Finn. — O Conselho dos Doze o mandou para piorar as coisas.

— Para observar — disse Steve. — Para mandar relatórios. Para interferir, se necessário. Você esperava que eles ficassem sentados e esperassem pelo melhor? Não é assim que o Conselho opera. Guerras não são vencidas dessa maneira.

— Belo discurso. Você praticou isso na frente do espelho a noite passada? — zombou o pai de Finn.

— E, para sua informação, eu *tenho* lutado contra Lendas — avisou Steve, erguendo o queixo. — Muitas delas.

— Onde? — perguntou Hugo. — Até onde eu sei, elas não têm feito aparições exclusivas em nenhum outro lugar.

— No treinamento. Os Doze têm uma coleção delas que eles reanimam quando necessário.

— Ah, no *treinamento*. Adorável. Você ganhou medalhas especiais por isso? Ou talvez tenham lhe dado um bom nome de Caçador. Como é mesmo?

Steve não respondeu. O pai de Finn ergueu o Dissecador de novo.

— Vamos adivinhar, que tal? Alguma ideia, Glad?

— Steve, o Sem Nome — sugeriu o Sr. Glad, parado atrás de Finn.

— Finn, quer tentar adivinhar?

Ele não quis. Só queria ir para casa, cair na cama e não sair de novo por um tempo, digamos, até o mundo acabar.

— Certo, vou tentar — continuou o pai. — Steve, o Digitador de Sessenta Palavras por Minuto. Sabe, algo muito épico como isso.

— Você me acusa de ser molenga — disse Steve, enfrentando Hugo. — Mas olhe para você. Não iria muito longe sem essa arma na mão. É claro que se trata apenas de apontar e apertar, de qualquer forma. Não tem nenhuma arte nisso.

Hugo ergueu uma sobrancelha.

— Nenhuma *arte* nisso?

— Nenhuma destreza. Nenhuma habilidade real.

— Nenhuma *habilidade*?

Hugo deu um passo para trás, abrindo os braços como um convite.

— Vou dizer uma coisa, Steve. Por que eu não lhe dou uma vantagem inicial, coloco uma venda nos olhos e nós vemos se não há nenhuma habilidade no que eu ainda vou conseguir fazer com você?

— Cadê a pureza? — questionou Steve.

— Pureza?

— A luta corpo a corpo. As armas para usar ao alcance do braço. Subjugar uma Lenda usando esperteza, não tecnologia. Se eu fosse o Caçador de Lendas desta cidade…

— Se você não estivesse ocupado apontando seus lápis, você quer dizer. — Um sorriso satisfeito pairou nos lábios do pai de Finn. — Mas continue.

— Se eu fosse o Caçador de Lendas desta cidade, faria as coisas de um jeito diferente. — Steve parou por um momento. — E eu também não teria criado um menino tão molenga.

— Ei! — protestou Finn.

— Ei! — protestou Emmie.

Enfim forçado a cruzar seu olhar com o dela, ele apertou os dentes, desejando que Emmie entendesse que ele não queria sua ajuda.

— Tenha cuidado, Steve — alertou o pai de Finn.

— Quanto tempo até ele ter que Concluir? Um ano? Menos? Ele já conseguiu fazer as três caçadas básicas? — O pai de Emmie olhou para Finn. — Sem querer ofender, filho.

Isso levou Finn a responder:

— Não me chame assim. Não sou seu filho.

— Ele deve ser o primeiro verdadeiro Caçador de Lendas em um bom tempo, Hugo — continuou o pai de Emmie, ainda olhando para Finn. — Há grandes planos para a cerimônia. Dignitários. Um coral. Lendas vivas por algum motivo misterioso, mas com certeza será bom. Mas ele sabe de tudo isso, certo?

Lendas vivas?, pensou Finn, alarmado. *O quê?*

— Última chance — disse o pai, dando um passo à frente.

— Mas — continuou Steve —, quando você se casa com uma civil, seus filhos são meio civis. Você sabe que ele quer ser veterinário, não sabe?

O tempo que ele levou para falar essas duas palavras, o pai de Finn havia diminuído a distância entre os dois e puxado o cano do Dissecador em volta do pescoço de Steve. Steve o agarrou, engasgando.

— Vamos ver o quão suavemente seu pescoço se arrebenta — rosnou Hugo. — Vamos ver se consigo colocar um pouco de arte *nisso*.

Ele torceu o cano. Steve gorgolejou em protesto.

— Qual é a sensação, Steve? — sussurrou Hugo no ouvido dele. — Parece que precisa de um pouco de destreza? Só me diga se estou errando em algum ponto.

Steve estava ficando roxo, gorgolejando em busca de ar, lutando para se livrar do aperto de Hugo.

Finn dançou um pouco sem sair do lugar, sentindo-se preso, ficando a cada segundo menos certo de que seu pai não iria até o fim com aquilo.

— Deixe-o em paz! — Emmie correu até Hugo, pulou nas costas dele, puxando o cabelo até ele soltar o pescoço do pai dela e se livrar da garota.

Steve tossiu em busca de ar.

— O negócio é o seguinte, Steve — disse o pai de Finn, inclinando-se até a altura da orelha dele. — Na verdade, acredito em você. Posso acreditar que você foi mandado até aqui pelos Doze para ficar de olho em mim, porque nenhuma Lenda com a qual lutei nunca foi tão mansa. Sua garotinha aqui tem mais espírito de luta.

Steve cuspiu as palavras:

— Isso é interessante vindo de alguém que ainda está caçando Lendas enquanto o resto do mundo derrotou as suas.

— Isto é o que me incomoda mesmo, Steve. Se você realmente é um Caçador de Lendas, o que estava pegando do portal?

— Do que você está falando?

O pai de Finn deu um passo à frente, agressivo.

— Alguém usou o portal da enseada como caixa de correio e, depois, atacou meu filho. Eu diria que o principal suspeito é o cara que tem filmado minha família em segredo e que usou a filha para se infiltrar na minha casa.

Ele mirou o Dissecador entre os olhos do pai de Emmie.

— Vou contar até três. Se você não me disser o que estava fazendo ali, sua filha vai vê-lo como peso de papel na minha mesa.

— Não era eu.

— Um.

— Tem certeza mesmo de que sou um traidor? — gritou Steve, cada vez mais inquieto.

— Dois! — gritou o pai de Finn.

— Você acha que os Doze teriam mandado alguém em quem não pudessem confiar?

— Três! Aproveite a soneca, *Steve*.

Uma pequena caixa preta no cinto de Hugo soltou um zumbido. Depois, um bipe. Uma luz vermelha piscou. Na casa, um alarme começou a soar. Do céu escurecido, a chuva começou a cair.

34

O pai de Finn manteve a postura de ataque, respirando furioso pelas narinas alargadas, o Dissecador seguro com firmeza contra a testa de Steve. O coração de Finn estava batendo forte como se tentasse escapar e, pela primeira vez desde que ele a conhecera, Emmie parecia vulnerável e perdida.

Na casa, o alarme continuava seu berro urgente.

— Você não tem escolha, Hugo — disse Steve, o mais calmo que conseguiu. — Aperte esse gatilho e os Doze vão prendê-lo até o fim da tarde. O menino também.

O alarme subiu o tom, como se estivesse desesperado para ganhar atenção.

Hugo baixou o Dissecador, inclinou-se para a orelha de Steve.

— Salvo pelo gongo.

Ele deixou a arma solta ao lado do corpo e se afastou. Steve deixou o corpo afundar um pouco sobre os joelhos, respirando com dificuldade.

O Sr. Glad bloqueou o caminho de Hugo.

— Você quer mesmo deixá-lo ir embora? Depois do que o Finn descobriu?

— Posso lidar com ele depois — disse Hugo, empurrando-o para o lado. — Temos que cuidar disto primeiro.

O Sr. Glad fez que sim com a cabeça e começou a segui-lo. Hugo parou e se virou para ele.

— Você, não, Glad — disse ele. — Isto é só para Caçadores de Lendas, você sabe.

Finn e o Sr. Glad ficaram parados lado a lado por um momento.

— Não faz parte do meu trabalho, não é, menino? — murmurou o Sr. Glad. — Não devemos dar o passo maior que a perna.

Ele puxou a gola do casaco em volta do pescoço e se afastou devagar em direção à sua loja.

Ao chegar ao carro, Hugo parou e fez um gesto para Finn segui-lo.

— O que você ainda está fazendo parado aí? Vamos.

Finn o seguiu, obediente.

— Ela parecia ser legal, pai — disse ele ao se sentar no banco.

Eles observaram Emmie se aproximar do pai dela. Steve dispensou a ajuda da filha balançando a mão e, cheio de energia, deu uma corridinha de volta para casa.

— Você não tinha como saber — disse o pai de Finn, ligando o motor.

— Eu deixei que ela entrasse na nossa casa.

— Você deixou — respondeu o pai e, depois, olhou para ele —, mas você também estragou o disfarce deles. Aproveite o crédito quando puder ganhá-lo.

Finn pensou a respeito e deixou que isso melhorasse seu mau humor só um pouquinho.

— Acho que sim… — ele começou a dizer, mas não pôde terminar o pensamento porque foi apertado contra o encosto do banco por causa da aceleração do veículo.

Uma van preta havia cantado pneu ao virar a esquina. Era o mesmo veículo que os seguira na enseada e estivera na rua deles. Emmie e o pai estavam sentados nos bancos da frente. O pai de Finn pisou fundo e os seguiu.

Conforme eles aceleravam por Darkmouth, outro pensamento passou pela cabeça de Finn.

— Pai?

— Sim, Finn.

— Vai mesmo ter Lendas vivas na minha Conclusão?

Seu pai não respondeu. Acelerou o carro, o cheiro do escapamento preenchendo o ar entre eles. De vez em quando dava uma olhada para o filho.

— Veterinário, Finn? É sério?

35

O rugido dos veículos propagou-se pela cidade, fez os cachorros levantarem o olhar e os gatos pararem de se lamber. As pessoas de Darkmouth já estavam ocupadas se esquivando para os recuos das portas e saindo das ruas. A previsão do tempo daquela manhã dissera que o dia estaria seco. Não estava e, assim, era hora de sair do caminho.

Em lojas e cafeterias, os moradores da cidade trocavam olhares e *tsc-tsc*. Em um salão de cabeleireiro da rua principal, uma mulher com o cabelo cacheado preso em um penteado mais apertado do que uma calça de couro em um lutador de sumô deixou cair a revista e olhou para a rua molhada. Ela observou os dois veículos pretos correrem ao lado da janela em uma explosão de gotas d'água e barulho de motor.

A mulher tirou um suspiro do fundo dos pulmões e anunciou para o restante do salão:

— Isso não pode continuar assim.

Houve um coral baixinho de aprovação vindo dos outros clientes.

Na rua principal, um portal tinha aparecido. O carro e a van frearam com um ganido de cada lado do portal, bem a tempo de verem um Wolpertinger deslizar para fora. A Lenda balançou os pelos da cabeça e as penas das costas, enquanto o portal era engolido e desaparecia.

A cabeça de Finn estava afundada em dor e confusão e em uma repugnância recém-descoberta quando Emmie deu um passo ao seu lado, aproximando-se.

— Desculpe — disse ela.

Finn se afastou. Ele só queria ir para casa. Estar sozinho de novo. Havia sido mais fácil daquele jeito, quando não havia ninguém para decepcioná-lo.

— Emmie, fique para trás — disse Steve. — Eu cuido disso.

— Você também, Finn — ordenou seu pai. — A lição não é para você desta vez.

O Wolpertinger pareceu hesitante por um momento e, depois, recompôs-se, decidindo virar e lutar e aproveitar a chance de comer um lanchinho de carne humana.

Com qual humano lutar? Finn o viu avaliar as armaduras quase idênticas dos Caçadores de Lendas, as duas brilhando contra o cenário; o preto impenetrável dos seus capacetes não dava nenhuma ideia de quais emoções estavam por trás deles. Ainda assim, um dos trajes de luta parecia gasto de outras batalhas: riscado, furado, mordido.

O outro parecia ter sido confeccionado naquela manhã.

O Wolpertinger deu uma última olhada para cada um deles e pareceu tomar uma decisão. Ele correu até um homem escondido atrás de um poste de luz.

O pai de Finn ergueu o Dissecador, mas Steve deu um passo à frente assim que ele apertou o gatilho, empurrando a arma para baixo de forma que um bom pedaço de asfalto foi arrancado da rua e ficou rolando no fundo de uma nova cratera.

— Este é meu — disse Steve, colocando a mão por trás da cintura e puxando uma longa corrente, que tinha na ponta uma pequena bola com espinhos. Ele girou a maça em um arco acima da cabeça e soltou-a. A corrente se esticou e a arma desenhou pelo ar um corte gracioso na direção do seu alvo. O Wolpertinger olhou por cima do ombro e mudou de direção no último momento, pulando no ar, empurrando-se de uma parede e dando uma cambalhota para longe do perigo.

A maça se enrolou apertada em volta do poste de luz, com os espetos enterrando-se na madeira dois centímetros acima da cabeça do homem que berrava escondido atrás dele.

O pai de Finn levantou seu Dissecador de novo, suspirando.

— Isto é ridículo.

Steve colocou-se em frente ao cano da arma.

— Eu esperei minha vida toda por esta chance.

— E, ainda assim, você a perdeu.

Finn observou, apenas meio consciente do que estava acontecendo na sua frente.

— Eu não quis magoar você, de verdade — disse Emmie. — Odiei mentir para você.

— Você se saiu muito bem fingindo que estava gostando daquilo — respondeu Finn, sem emoção, e ganhou um solavanco quando Emmie o empurrou para passar.

— Pai! — berrou ela.

O Wolpertinger aproveitara a chance de correr para atacar Steve pelas costas. No entanto, em vez de pular para longe, Steve reagiu no mesmo instante, erguendo a espada enquanto se virava e corria direto para o Wolpertinger. A Lenda se manteve em rota de colisão, pulando para o ataque no momento preciso em que Steve tombou para a frente, esborrachando-se na rua com o visor do capacete, a espada escapando para além do seu alcance.

Dos seus pés amarrados saía uma corda. O pai de Finn segurava a outra ponta. Usando a mão livre, ele puxou o gatilho do Dissecador. Com um *uooop* abafado, o Wolpertinger virou uma casca peluda, cheia de penas e de ossos, uma pequena amostra do que fora antes, que quicou no capacete de Steve a caminho do chão.

— Era esse tipo de pureza que você estava procurando, Steve?

Finn arrastou os pés de volta para o carro, com o calor de sua humilhação recusando-se a deixar entrar até mesmo um vislumbre de alegria por ver Emmie e o pai sendo humilhados em contrapartida. Ela saíra correndo para ajudar o pai, mas hesitou quando viu que ele realmente não queria que ela o ajudasse.

Hugo se aproximou e puxou uma faca. Steve se encolheu.

— Fique parado, pelo amor dos céus. Você é pior que uma delas — disse Hugo.

Da armadura na base do pescoço de Steve, ele pegou uma presa de cristal.

— Veja o que o coelhinho bonzinho trouxe para nós.

Hugo saiu andando, parando por um momento para pegar o Wolpertinger dissecado e jogá-lo nas mãos enluvadas de Steve.

— Não se esqueça de colocar tudo isto no seu relatório.

Ele chegou ao carro. Exausto, Finn empurrou-se de cima do capô para seguir o pai.

— E quanto aos portais secundários, Hugo? — gritou Steve do chão, onde usava a espada para libertar as pernas. — Pergunte a si mesmo o que você não está vendo.

O pai de Finn já havia ligado o motor, abafando a voz do outro enquanto fazia o veículo sacudir por cima da nova cratera da rua.

Acima de Darkmouth, a garoa havia diminuído e a luz começou a abrir caminho de novo para o dia. Os moradores da cidade saíram para as ruas, tendo o vislumbre de um estranho vestindo armadura que se levantava do chão, da menina ao lado dele, de um poste de luz curvado rangendo acima deles e do buraco no asfalto.

A uma curta distância, o Sargento Doyle estava sentado, em uma pequena delegacia, com uma xícara de café pela metade e recebia ligação após ligação perguntando o que ele faria a respeito daquele constante problema.

— Está piorando — reclamavam as pessoas.

— Por que Darkmouth é o único lugar onde isso ainda acontece? — resmungavam elas. — Aquela família não devia estar resolvendo o problema, em vez de deixá-lo pior?

— Aquele menino inútil… — diziam.

— Hugo, o Não Tão Grande… — falavam.

— Vou dizer uma coisa — comentavam elas. — Aquela família precisa dessas Lendas ou não será mais nada. Eles deixam que elas nos ataquem. Talvez seja a hora de nós *os atacarmos* para mostrar que não vamos mais aturar isso.

O Sargento Doyle tentou acalmá-las, conversar com elas, garantir a elas que estava trabalhando no caso e que cuidaria do assunto com a maior urgência. Depois, ele pegou uma caneta e um papel e começou a esboçar mais uma carta pedindo transferência.

Devia haver uma prisão de segurança máxima com os criminosos mais perigosos que pudesse se valer de sua ajuda, ele pedia.

Do *Guia Conciso do Mundo dos Caçadores de Lendas, Vol. 5*, Capítulo 23: O Conselho dos Doze.

Como a maioria das sociedades secretas, os Caçadores de Lendas são governados por um conselho de sábios, conhecido como Conselho dos Doze. E, como acontece com a maioria dos conselhos de sábios, a maior parte do que eles fazem é tremendamente chata, em especial agora, que o mundo quase não tem problemas com Lendas.

Todavia, o Conselho dos Doze desempenha algumas funções muito importantes.

Primeiramente, os Doze têm o dever de controlar as informações. Houve um tempo em que as Lendas eram abertamente reconhecidas no restante do mundo, servindo como tema de histórias, poesias e canções,

Através dos séculos, porém, o Conselho encorajou a população a tratá--las como fábulas e superstições, relíquias de outras eras. Rumores e conspirações permaneceram, mas, enquanto os Caçadores de Lendas conseguiam manter o problema dentro da circunscrição das Vilas Flageladas — e proteger as pessoas comuns de criaturas que desejavam usá-las como palito de dente —, as autoridades de cada país se contentavam em deixar aquela espécie operar sem muitas interferências.

Em segundo lugar, é preciso preservar a calma entre as fileiras de seus guerreiros obsoletos e frustrados. De fato, em uma pesquisa recente realizada entre os Caçadores de Lendas, o principal problema mencionado pela maioria foi "a falta de direcionamento em minha carreira, levando-me a uma baixa autoestima". O segundo principal problema relatado foi "a carência de Lendas para lutar".

Quando uma pesquisa semelhante foi realizada, vinte anos atrás, a preocupação número um era "ter um dos meus braços abocanhado". Curiosamente, a número dois era "ter meus dois braços abocanhados".

Os Doze atuam ainda como mediadores em conflitos entre Caçadores de Lendas. Se uma discordância ocorre, ela é analisada pelo Conselho como questão de urgência. Quando o Conselho enfim toma uma decisão a respeito, tendo garantido que o assunto foi ouvido por meio dos canais adequados — com uma pré-audiência, uma leitura prévia, um subcomitê obrigatório e, depois, finalmente, um debate na tarde de domingo, quando a maioria das pessoas já foi para casa —, as partes incomodadas já ficaram, no geral, entediadas e passaram para uma briga completamente diferente.

O Conselho conduz o seu trabalho com uma burocracia implacável e tediosa, aliviada apenas por intervalos regulares organizados pelos jovens Caçadores de Lendas assistentes, cuja principal função é garantir que os dias do Conselho sejam programados com precisão, de acordo com o padrão complexo e imprevisível de suas idas ao banheiro.

Contudo, apesar desses dias mais silenciosos, menos excitantes, existe a crença, amplamente aceita, de que os Doze permanecem ativos em muitas áreas supersecretas, supervisionando operações muito bem protegidas e projetos altamente confidenciais.

No entanto, o Conselho dos Doze nega com veemência que opere nesse nível de sigilo, ou que censure discussões sobre qualquer missão em andamento, como a Operação █████, o Grande █████ do █████, especialmente, o iminente █████ no █████ em █████.

Quanto à infame questão de Niall Linguanegra, o Conselho apenas insiste que "ninguém gosta de falar sobre isso", embora alguns membros do Conselho acreditem que █████.

36

Da sua posição elevada no morro, Gantrua observava o movimento no vale abaixo, enquanto um comboio de Hogboons carregava pedras e terra do abismo da montanha que levava à vasta rede de minas de Corônio. A única recompensa pelo trabalho deles era a promessa de que suas cabanas não seriam queimadas. Talvez não fosse uma grande recompensa, mas era uma motivação eficaz, de qualquer forma.

As rochas recolhidas estavam sendo levadas a grandes campos de triagem, onde cada pedacinho seria vasculhado à procura de cristais. As descobertas eram escassas. Esses eram os últimos remanescentes dos depósitos conhecidos de Corônio, enterrados no último lugar desse mundo onde ainda podiam estar em contato com o ar para rasgar nele suas fendas.

Gantrua havia mandado equipes por todo o território para encontrar mais depósitos, tudo sem sucesso. Apenas ali encontraram o que precisavam. Ali, onde os portais levavam a uma única vila do Mundo Prometido. E a um alvo.

Sob o comando de Gantrua, as Lendas um dia iriam retalhar o tecido entre os mundos e abrir um túnel para o outro lado, perfurando um caminho entre aquele lugar e o outro lado. Um exército estaria esperando, acordado do seu cochilo para aquele grande momento.

Gantrua podia sentir o cheiro da vitória. Ou sentiria, se o fedor insuportável dos seus guardas Fomorianos não estivesse subindo pelos ares e alcançando-o.

Abaixo dele, Trom se divertia lançando pedras na procissão de Hogboons, fazendo-os se abaixar e sair correndo cada um em uma direção. Cryf estava dando notas aos esforços dele.

— Ainda não entendo — disse Trom para Gantrua enquanto lançava outra pedra nas fileiras, com a tranquilidade de quem atira seixos em um lago. Os Hogboons soltaram berrinhos e se lançaram fora do caminho.

— Sete de dez — disse Cryf.

— O que você não entende, seu tolo? — perguntou Gantrua, deixando-o falar.

— Por que vamos invadir sem um exército. — Trom arrastou outra pedra grande e a arremessou.

Cryf fez uma careta.

— Só cinco de dez ali, meu amigo desocupado.

Gantrua observou a cena enquanto a luz de mais um dia se apagava; não era uma queda drástica da iluminação, mas um aprofundamento da escuridão costumeira, que permeava até mesmo as horas mais claras. Ele ansiava por sair daquele lugar.

— Nós temos um exército, seu idiota — Gantrua suspirou. — É tão invisível para você quanto a sabedoria. Tão fora do seu alcance quanto a inteligência. Tão escondido de você quanto…

Trom lançou outra pedra. Meia dúzia de Hogboons saiu dançando do caminho.

— Ah, um oito ali, eu diria — observou Cryf.

Gantrua ergueu um pé, colocou-o no ombro de Trom e o empurrou, mandando-o em um tropeço violento morro abaixo e direto para uma fila de Hogboons, que se espalharam e caíram em todas as direções. Rochas e terra derramaram-se em meio ao restolho duro que brotava do solo venenoso.

Cryf praticamente se dobrou ao meio rindo daquela visão. Gantrua o chutou também.

Depois, ele se retirou e desceu pelo lado mais distante do morro até sua tenda, longe do tumulto dos comboios e dos urros dos guardas Fomorianos. Gantrua empurrou a lona de lado e apertou seu enorme tamanho para dentro, puxando a espada atrás de si.

Forçou os olhos à luz dos pequenos fogareiros acesos do lado de dentro. Ele podia sentir o ódio apodrecendo seu coração; podia sentir seus batimentos ficarem cada vez mais fracos, como se o corpo estivesse se rebelando contra estar ali. O fim estava demorando para chegar.

— Você precisa ser paciente, meu amigo — disse uma voz fraca no canto mais distante da tenda. — Experimente um pouco de meditação. Comunique-se com a atmosfera em vez de com sua raiva. Vai lhe fazer bem.

Os ombros de Gantrua arfaram com o peso da sua respiração. Ele apertou os olhos para a figura encapuzada sentada de pernas cruzadas no chão.

— Esse pode ser o seu jeito — rosnou ele. — Não é o meu.

A figura ergueu a cabeça um pouco, a luz fraca chegando aos lábios finos e à pele enrugada do seu queixo.

— E, ainda assim, aqui estamos nós. Ainda presos neste mundo. E eles ainda no deles.

Gantrua não respondeu. O único som era o ar podre sendo puxado para os seus pulmões, como o zunido grave de um grande órgão.

— O que está acontecendo lá fora? — perguntou a figura encapuzada.

— Os cristais estão sendo reunidos. Quase esgotamos as minas de Corônio por inteiro, por apenas um punhado de pedras.

— O suficiente para manter os portais abertos?

— Sim.

A figura encapuzada se mexeu um pouco no lugar, acomodou-se de volta.

— Não se trata do que nós fazemos aqui, Gantrua. Trata-se do que acontece no Mundo Prometido. Um grande exército dorme ali, mas nós já oferecemos o poder de que nosso agente precisa para acordá-lo. Você vai ter sua cartada final para a vitória.

— E o menino? — perguntou Gantrua.

— O menino só é uma ameaça para você se ele sobreviver. E não vai.

Gantrua colocou uma mão no ombro da figura encapuzada e o apertou com delicadeza, com força suficiente apenas para ser entendido como afeição ou ameaça.

— É melhor que você esteja certo.

37

Um silêncio pesado havia caído. Na casa de Finn. Na sua família. Haviam visto o pai poucas vezes em dias, não havia sons vindos da Biblioteca, nenhum rangido de ferramenta, nenhum bater de peças. E nenhum portal também.

Durante dias, a preocupação estivera escrita no rosto da mãe de Finn. O pouco que Finn descobrira sobre as consequências das revelações acerca de Emmie e seu pai ele havia ouvido da boca de sua mãe, quando a visitara na clínica, na Rua Quebrada. Ela lhe contou que havia sido feito um contato com os Doze, informando-os da reclamação de Hugo contra Steve, mas essa verificação e as instruções só viriam após lidarem com a mensagem da maneira adequada, "de acordo com o parágrafo 52, subseção 3.1, da constituição dos Caçadores de Lendas, e depois dos processos adequados etc. etc.".

— Isso poderia ser amanhã — disse a mãe de Finn. — Poderia ser no mês que vem. Quando ele lhes pediu permissão para sair de Darkmouth para que pudéssemos viajar em lua de mel, a resposta chegou dois dias antes do nosso primeiro aniversário de casamento. E ainda era *não*.

Finn sentou-se no consultório dela, os joelhos puxados para cima da cadeira, a máscara no rosto subindo com a sua respiração. Ele fez barulho com uma broca de dentista até a mãe tirá-la da sua mão.

— Olhe, mãe, tem alguma coisa que ele não conta para mim.

— Quem? — perguntou a mãe de Finn, distraída.

Ela estava se preparando para o paciente seguinte, mas sem a leveza que Finn costumava ver nela quando trabalhava.

— O pai. Nós capturamos aquele Hogboon e ele disse alguma coisa para mim. Parecia me reconhecer.

— Não sei, Finn — disse ela, cansada.

— Ele disse. E tinha algum tipo de mensagem. "O menino cairá"; ele estava falando direto para mim. O pai diz que não é nada.

— Então, talvez não seja nada — comentou a mãe.

— Você acha que algum dia vou ter uma resposta? — perguntou Finn.

— De quem?

— Do pai. Dos Doze. De alguém!

— Olhe, Finn — disse ela, um pouco aborrecida. — Ele não me conta nada. Deus sabe quanto eu gostaria que ele contasse, mas ele não conta. E o Conselho obviamente não diz tudo para ele também. E é isso que todos eles fazem. Eles mentem ou guardam segredos ou apenas evitam as coisas esperando que elas desapareçam.

A mãe dele tomou fôlego e continuou falando, como se libertasse algo que ela estivera segurando por tempo demais.

— Passei anos simplesmente aceitando isso, porque é assim que eles são e ponto. E o pior é que você vai acabar fazendo o mesmo. É isso que acontece. Até tudo dar errado algum dia.

— Você acha que ele sabe o que o Hogboon queria dizer? — perguntou Finn.

— Quem sabe o que ele sabe?

— Mas você não poderia perguntar para ele? Se aquele Hogboon está dizendo que eu sou diferente, que eu sou, não sei, especial.

A mãe andou com a cadeira até perto dele, com a gentileza de volta ao tom da sua voz.

— Finn, antes mesmo de você nascer, nós sabíamos que você seria especial. Quando você nasceu, nós sabíamos que você seria especial. Você tem que entender que você é especial. E o seu pai sabe disso também.

A porta foi aberta e uma mulher entrou. A mãe de Finn se levantou e fez um sinal para ela ir para a cadeira.

— Certo, Sra. Stack, vamos ver como aquele abscesso está se comportando.

Finn ficou por ali mais um tempo até a mãe fazê-lo sair.

Enquanto ele estava na porta e colocava o capuz sobre a cabeça, sentiu um movimento à sua direita. Mas não havia nada de incomum quando ele olhou, exceto os olhares fixos das pessoas que passavam, seus olhos escuros de raiva.

Naquela noite, Finn apareceu para o treinamento como sempre, de volta à sala T2, com seu longo espelho correndo por uma das paredes e colchões macios no chão. Ele esperou o pai chegar. Ninguém veio.

Por fim, ele se sentou com as costas pressionando o espelho, seu traje de luta sobre o colo e, com uma agulha, linha e alguns rebites, trabalhou em apertar a armadura.

Depois, andou pelo Longo Corredor, onde os mortos o vigiavam das paredes, a desaprovação saindo de cada par de olhos e queimando-o. Parecia que até mesmo eles tinham consciência do silêncio triste que varria a casa e envenenava todos os aposentos.

38

Na segunda-feira pela manhã, Emmie estava esperando na esquina da rua deles quando Finn saiu para ir à escola. Ele apertou o passo e seguiu em silêncio, impulsionado pela raiva, pela vergonha e por uma onda de adrenalina que colocava uma oscilação incontrolável nas suas pernas.

Na segunda-feira à tarde, ela estava no portão do colégio. Assim, ele pulou um muro, prendendo a calça nos cacos de vidro enquanto se puxava por cima dele. Ela o seguiu até em casa, mantendo distância, sua presença imperturbável dando-lhe uma coceira nos ombros.

Na terça-feira de manhã, ela estava na esquina de novo.

— Finn! — Emmie meio que gritou.

Assim, ele cruzou a rua, virou na direção errada, desviou por uma ruela, atravessou outra e saiu em um caminho desconhecido para a escola. Trinta segundos depois, ela o estava seguindo de novo.

Na terça-feira à tarde, Finn fez a mesma coisa, ao contrário. Emmie, também.

Na quarta-feira, ele pegou carona com a mãe. Era a única maneira. E, na escola, ele se sentou no fundo da sala para que o olhar fixo dela não pudesse lhe queimar um buraco na cabeça. Em vez disso, ele se esforçou bastante para não ficar encarando a parte de trás da cabeça *dela*. Não conseguiu, mas se convenceu de que ela não sabia disso.

Na quinta-feira, Emmie não estava lá. Ela não estava no caminho nem na escola. A Sra. McDaid falou seu nome algumas vezes durante a chamada, mas, no lugar onde ela deveria estar, sentada sob uma explosão de cabelos vermelhos, havia apenas uma cadeira vazia. Finn olhou para o assento vazio e se perguntou onde ela poderia estar, até seus pensamentos serem interrompidos por uma bolinha de papel molhada do tamanho de uma ervilha picando a lateral da sua cabeça. Os gêmeos Savage fizeram caras tristes iguais para ele.

Na sexta-feira pela manhã, Emmie não apareceu de novo e Finn pôde experimentar uma sensação surpreendente invadindo-o. Ele quase não se deu conta disso no começo. Ela havia ido embora. Ela deixara Darkmouth, voltara para a cidade, para sua antiga vida. E Finn... *sentia falta* dela. Só um pouquinho. Mas o suficiente para ele ter de ir resgatar sua raiva do lugar para onde ela havia se retirado por um momento.

Ele caminhou devagar para casa naquela tarde, meio desejando se virar e encontrá-la seguindo-o de longe. Não havia sinal.

Ele passou a esquina, mas ela não estava ali. Finn pegou o caminho curto na direção da porta da frente e, depois, hesitou por alguns segundos, parado pela dúvida em se aproximar ou não. Não, decidiu, ele devia simplesmente deixar Emmie e o pai para trás como nada além de uma dolorosa lição sobre confiança. Estava na hora de seguir em frente com o que quer que o restante da sua vida fosse lhe trazer.

Ele deu meia-volta e rumou para sua casa.

— Finn?

O susto basicamente o fez dar um pulo no ar.

— Desculpe, Finn. Eu não tive a intenção de assustar você — disse Emmie.

Ela estava parada no caminho para a casa de Finn.

A raiva dele borbulhou de volta à tona enquanto ele passava de raspão por ela.

— Desculpe — disse ela.

— Só me deixe em paz.

— Eu não contei ao meu pai sobre o cristal que você pegou.

Finn parou.

— E daí?

— Eu poderia ter contado — disse Emmie. — Eu devia contar para ele. Mas não contei.

— Ótimo, você está tentando me chantagear agora — disse Finn. — Uma maneira brilhante de mostrar quanto você está arrependida.

— Eu não contei para ele porque percebi que *não queria* contar. Eu devia passar todas as informações e pensei que poderia fazer isso. Mas o cristal, isso era segredo seu. E você compartilhou comigo. Foi aí que eu soube que não poderia fazer o que eles queriam. Porque você era meu amigo.

— Você está certa. Eu *era* seu amigo. Verbo no passado — comentou Finn.

— Sinto muito por tudo. Eu não tinha a intenção de…

— Você teve a intenção de tudo. Cada pedacinho disso. Você me usou para chegar até o meu pai. Foi o único motivo para você ter vindo para Darkmouth.

Finn começou a se afastar com passos pesados.

— Não, não foi — disse Emmie.

— É claro que você fingiu! — exclamou Finn, parando.

— Não, Finn, eu quis dizer que nós não viemos para Darkmouth só para vigiar o seu pai.

— Mais mentiras — acusou Finn, afastando-se.

— Nós estávamos aqui para vigiar *você* — gritou Emmie atrás dele.

Finn parou de novo, a raiva e a confusão se revirava dentro dele enquanto tentava entender tudo aquilo.

— Sabe, mesmo que eles achem que eu nunca Conclua…

— É mais do que isso — afirmou Emmie. — É outra coisa. Não sei o que é, Finn, e o meu pai não me conta muito, mas juntei alguns pedaços de informação. Sobre os Doze. Eles falam bastante sobre você. Ficam preocupados com você. Sobre algum tipo de... — ela hesitou, como se estivesse com medo de dizer a palavra — ... profecia.

Ele sentiu o mundo desmoronar, como no dia em que caiu enquanto perseguia o Minotauro e ficou deitado no chão, a chuva pingando do céu nublado muito acima dele.

Eles ficaram parados na rua vazia. Finn achou que ela parecia diferente e levou um momento para entender o porquê. Seu cabelo estava puxado para trás, revelando seu rosto de orelha a orelha. Agora que ele havia notado, ela não apenas parecia diferente, estava quase irreconhecível.

— Não acredito em você — disse ele e foi embora.

Os braços de Emmie estavam rígidos ao lado do seu corpo, os punhos cerrados. Ela gritou para ele:

— É verdade. Foi por isso que me pediram para eu ficar sua amiga.

— Ainda não acredito em você — berrou ele, sem parar de andar.

Mas ele não tinha tanta certeza. O Hogboon tentara entregar uma mensagem para *ele*. Emmie e Steve haviam ido até ali para ficar de olho *nele*. Ele sentia como se estivesse sendo sugado para o meio de alguma coisa.

Uma coisa grande.

Ele continuou andando, mas a raiva e a confusão estavam rapidamente sendo esmagadas por outra emoção que era familiar demais para ele. Quando ele chegou à sua casa, sentia-se muito, muito assustado.

39

Finn esperou pelo treinamento de novo naquela noite, vestindo o traje de luta, o capacete na mão, mas não havia nenhum pai ali para socar. No final do Longo Corredor, o contorno de luz na porta que dava para a Biblioteca lhe dizia que seu pai estava lá dentro. Finn sabia que tinha que quebrar o silêncio, sabia que era a hora de oferecer um segredo em troca de outro, mesmo se o resultado pudesse fazer tudo desmoronar sobre a sua cabeça.

Antes de entrar na Biblioteca, Finn parou em frente ao retrato de Gerald, o Decepcionado. Não havia nenhuma dúvida: se já existiu um homem com cara de que a vida havia colado uma moeda no chão e o havia chutado no traseiro quando ele tentara pegá-la, esse homem era o bisavô de Finn.

Como seria ser criado por um homem tão abertamente infeliz com a maneira como as coisas tinham acontecido? Como seria tentar agradar a um homem com a aparência de que todas as gotas de prazer haviam secado na sua vida?

E como seria perder o pai, o homem cujo retrato na parede era um lembrete constante da sua ausência?

Isso deixaria uma pessoa mais endurecida, foi a suposição de Finn. Isso transformaria a pessoa no pai dele.

Ele respirou fundo e entrou na Biblioteca.

Seu pai estava sentado com as costas para a porta, encarando a tela do computador com os ombros caídos. Finn caminhou em direção a ele, o silêncio amplificando cada passo, mas o pai parecia alheio à sua presença, simplesmente esfregando a testa como se tentasse arrancar um pensamento bem profundo de dentro dela.

No computador, fotos passavam pela tela, inclusive uma das favoritas de Finn: ele aos quatro anos de idade, com a mãe e o pai, na praia pedregosa de Darkmouth. Ele estava segurando um balde e uma pá, porque seriam muito úteis.

Eles pareciam uma família normal, em um dia de passeio normal, em uma cidade normal.

Finn colocou as mãos dentro do peito do seu traje de luta e, de um bolso por baixo da armadura, tirou o cristal do Minotauro e o segurou perto da lateral do corpo.

— Aquele foi um bom dia — anunciou seu pai, as costas ainda viradas para Finn. — Nós o levamos para dar um mergulho, mas você não queria usar as boias infláveis. Você só queria correr direto para o mar e nadar. Assim, eu deixei que você tentasse. Fiquei parado e observei enquanto você espirrava água e chutava e fazia de tudo para se manter na superfície. Sua mãe gritava e berrava comigo para ir pegá-lo, mas eu disse a ela que você ia ficar bem.

— Eu nadei?

— Não, tive que resgatá-lo. Mas a questão não é essa. A questão é que você tentou. Mostrou coragem e uma teimosia que eu sabia que fariam de você um grande Caçador de Lendas. Que eu *sei* que farão de você alguém formidável.

A foto deu lugar a outra. Era o retrato de Gerald, o Decepcionado, que estava pendurado no Longo Corredor. Seu pai desligou o monitor.

— Mas não tem sido formidável até agora, vamos ser sinceros. E eu tentei. *Nós* tentamos…

Finn franziu as sobrancelhas, pensando no Hogboon e na mensagem que ele tentara lhe dar.

— Pai, o que foi que o Hogboon tentou dizer sobre mim? Eu sou diferente de alguma maneira? Eu sei que tem algo que você não me contou.

— Finn, você precisa tirar essa bobagem da cabeça, e logo.

Finn enfiou o cristal de novo dentro do traje de luta quando seu pai se virou na cadeira.

— Mas a mãe admitiu.

— Admitiu o quê? — perguntou o pai.

— Ela disse que eu era especial — disse Finn.

— Ela disse?

— Que vocês sabiam que eu seria especial mesmo antes de eu nascer.

O pai agarrou Finn pelos ombros, respirou fundo e lhe lançou um olhar que parecia feito de laser.

— É claro que ela disse que você era especial, Finn. *Toda* mamãe acha que o filhinho dela é especial. É isso que as mamães devem dizer.

A decepção que Finn sentiu era o mais próximo que ele talvez chegasse de saber como era ser dissecado.

— Estou interrompendo um momento emocionante entre pai e filho?

O Sr. Glad estava parado na porta da Biblioteca, as mãos enfiadas nos bolsos do seu casaco manchado. Ao sentir que sua jovialidade não tinha agradado, ele deu uma risada constrangida.

— Desculpe, eu não tive a intenção. De qualquer forma, Hugo, está na hora de você voltar ao trabalho. Na verdade, está na hora de você tirar essa calça de moletom antes que ela precise ser cortada para sair do seu corpo. E abra uma janela aqui. Já vi Grifos com um cheiro melhor do que o desta sala.

Ele entrou a passos largos, seguindo direto para o aparelho, onde começou a limpar ferramentas, xícaras de café, isso e aquilo.

Finn havia se afastado, virando o rosto para o outro lado para esconder a chateação que enrijecia sua face. O pai olhou para o Sr. Glad, mas não se levantou.

— Não parece ser uma prioridade agora, Glad.

— Olhe, Hugo — disse o Sr. Glad —, então os Doze mandaram o Palhacinho Coco, ou sei lá qual é o nome dele, para dar uma espiada em você e no seu filho. São os Doze. É o jeito deles. Eles não jogam para perder.

Uma expressão levemente perplexa interrompeu a autopiedade de Hugo por um instante.

— Eles procuraram motivos para evitar que eu me juntasse aos Doze — disse. — Agora, têm vários.

Finn se afastou sorrateiro, começando a se dirigir à saída.

— Você já pensou que veria seu pai desistir com tanta facilidade, meu jovem? — perguntou o Sr. Glad quando Finn passou.

Ele parou.

— Ele não desistiu durante a invasão do dia de Natal tantos anos atrás — continuou o Sr. Glad. Ele não desistiu, apesar de toda aquela coisa com o seu avô Niall. Mas, agora, aqui está ele, desistindo de tudo isso. E até desistindo de você.

A raiva brilhou nos olhos de Hugo.

— Não envolva o Finn nisso.

— É a única maneira possível, Hugo.

O pai de Finn girou para a escrivaninha e colocou a cabeça entre as grandes mãos.

— Eu dediquei uma vida a Darkmouth — disse.

— Então mais alguns dias não vão fazer mal — concluiu o Sr. Glad.

— Eles já começaram o processo de tirar tudo isto de mim — disse Hugo. — Aquele espião amador que mandaram provavelmente vai convencê-los de que ele pode assumir.

— Então você precisa dar a eles um motivo para isso não acontecer. Terminar o aparelho fará isso.

Havia algo parecido com uma súplica na voz do Sr. Glad.

— Nunca pensei em você como o tipo que desiste. E tenho certeza de que seu filho também não.

Finn ficou onde estava, de cabeça baixa, preso entre a necessidade de saber a verdade, a necessidade de escapar e a necessidade de que tudo voltasse ao normal. Ele se lembrou do que o dispositivo oferecia para o seu futuro.

— Meu pai nunca desiste de ninguém — disse Finn, num tom que mal era possível escutar.

— O que foi, Finn? — perguntou o Sr. Glad.

— Tudo bem, Finn — disse Hugo. — Você não precisa dizer nada.

Finn falou mais alto e encarou o pai:

— Eu disse que o meu pai nunca desiste.

Incapaz de manter o contato visual com o pai por mais tempo, ele se virou, os olhos fechados. Tentou desfazer o nó que tomava conta da sua garganta simplesmente desejando sumir e percebeu o cheiro almiscarado das roupas do Sr. Glad e ouviu o rangido de uma cadeira.

Ele abriu os olhos de novo e viu o pai caminhando devagar na direção do aparelho, arrastando-se e, com grande esforço, estendendo a mão até o chão para pegar um martelo. Aproximando-se da geringonça, Hugo segurou o martelo com tanta força nas mãos que Finn pôde ver os nós dos seus dedos ficarem brancos. A respiração do pai estava rápida, profunda. Seus grandes ombros subiam e desciam. Ele ergueu o martelo acima do ombro, como se estivesse se preparando para dar um golpe na máquina.

Finn prendeu a respiração. Os olhos do Sr. Glad se arregalaram.

Hesitante, Hugo abaixou o braço, levando a cabeça do martelo para a palma da mão livre. Ele suspirou, e a tensão e o propósito pareceram ser liberados dele.

— Pegue aquela lâmina para mim — pediu ele.

O Sr. Glad percebeu que se dirigia a ele.

— Ah, sim, a lâmina. Qual delas?

— Aquela que parece ser de um ventilador de mesa. É o ventilador de mesa.

Hugo partiu para trabalhar em alguma fiação dentro do aparelho.

O Sr. Glad olhou para Finn, um sorriso cruzando seu rosto. Finn não conseguiu identificar de que tipo era. Satisfeito, talvez. Aliviado. Triunfante. Mas, qualquer que fosse o tipo de sorriso, ele incomodou Finn.

— Isso vai mudar tudo, meu jovem — disse o Sr. Glad. — Sei que você não é muito fã de machucar animais, mas, às vezes, sacrifícios são necessários, certo?

Finn percebeu um sinal qualquer, retraiu-se, mas se recompôs depressa.

— Tenho lição de casa para fazer — anunciou ele e saiu o mais rápido que conseguiu sem parecer que estava fugindo.

Mas estava.

Ele conseguia sentir o Sr. Glad observando-o sair, sentiu seus olhos minúsculos o seguirem por todo o caminho até a porta. O que Finn não sabia dizer era se Glad o estava seguindo com curiosidade ou suspeita. Ele sabia que, quando seu cabelo caía para a frente, tinha revelado um machucado escuro no seu pescoço? Suas pontas eram amarelas e desbotadas, mas, apertada em sua pele, estava a marca inconfundível de uma estrela.

Exatamente o tipo de machucado que alguém poderia ter se tivesse sido atingido com uma chumbada de pesca em forma de estrela.

Tinha sido o Sr. Glad na enseada.

O Sr. Glad no portal.

O Sr. Glad que estava se comunicando com as Lendas.

40

— Fale de novo, só para podermos esclarecer quanto você está errado.

O pai de Finn havia emergido da Biblioteca para jantar naquela noite um pouco menos mal-humorado do que estivera nos dias anteriores. O clima mais leve havia durado por todos os dois minutos que ele levou para perguntar se Finn estava bem e para Finn responder com uma série de perguntas hesitantes sobre o Sr. Glad: há quanto tempo o pai o conhecia, quão amigos eles eram e se ele tinha alguma suspeita de que, sabe, talvez ele pudesse ser, se quiser chamá-lo assim, um traidor.

— Vá em frente, Finn. Explique para mim de novo.

— Não balance o garfo para ele, Hugo — disse a mãe de Finn.

Finn enrolou os braços com força sobre o peito.

— Sei que golpeei o pescoço de quem quer que tenha me atacado na enseada. Só estou contando o que vi.

— Não, você está contando o que você *acha* que viu. O Glad já passou por brigas suficientes para ganhar alguns machucados e cicatrizes. Quando eu tinha a sua idade…

— Ótimo, lá vamos nós de novo.

O pai de Finn lançou um olhar bravo para ele e continuou:

— Quando eu tinha a sua idade, o Sr. Glad praticamente morava nesta casa. Ele vem de uma família de Reparadores. Leais. Sempre estiveram por perto quando precisamos deles.

— Finn obviamente acredita que viu alguma coisa — disse a mãe. — De qualquer maneira, você devia ter me contado sobre essa luta, para começo de conversa.

— Não comece, Clara. Sou eu que estou ao lado dele, treinando-o, tentando fazê-lo ficar pronto para ser Caçador de Lendas. É difícil, acredite em mim. Esse tipo de coisa fica na cabeça dele o tempo todo.

— Eu estou aqui, sabia? — disse Finn. — Fale isso direto para mim.

— Depois do que aconteceu na enseada, meu lugar no Conselho dos Doze já era.

— Por que você faz questão de se juntar a eles, pai? Não entendo isso. Parece totalmente entediante, apenas regras e regulamentos e ficar sentado na frente da escrivaninha o dia todo...

O pai o interrompeu:

— Há incontáveis Caçadores de Lendas em todo o mundo que estão sentados sem fazer nada mais além de polir suas lanças. Eu me recuso a ser um deles quando Darkmouth enfim estiver livre das Lendas para sempre. Além disso, apesar de *tudo* o que já aconteceu com esta família, eles estão me dando uma chance de resgatar a reputação. A *nossa* reputação. Não vou deixar que você a estrague.

— Calma, Hugo — disse a mãe de Finn. — Mostre um pouco de compaixão.

— Estou tentando. Eu tento todo dia, mas sempre tem alguma outra coisa para me testar.

— Você já parou para pensar, pai, que esse pode não ser o meu caminho? — perguntou Finn.

— Seu caminho? — disse ele, um pedacinho de carne voando até o outro lado da mesa. — Seu *caminho?*

— Estou tentando contar uma coisa, mas você não acredita em mim — argumentou Finn, a faca e o garfo apertados nas mãos, virados para cima. — Estou tentando falar com você sobre muitas coisas, mas você nunca me ouve. O Sr. Glad, aquele Hogboon e o que ele disse. E, agora, a Emmie me disse que eles vieram para cá para me observar.

— Quando você vai aprender a não acreditar em tudo o que falam? — questionou o pai.

— Então talvez tenha alguma coisa acontecendo. Talvez nem seja para eu me tornar Caçador de Lendas — disse Finn. — Talvez meu destino *seja* diferente?

Seu pai largou os talheres a meio caminho sobre a mesa.

— Você é diferente, com certeza. Não pense que eu não reparei em como você mal toca na sua carne, Finn. Você a empurra pelo prato, tentando escondê-la, mas ela não chega perto da sua boca. Ele é vegetariano, Clara. De quem ele puxou isso? Não do meu lado da família.

— Alguma coisa está acontecendo, pai. Não importa quanto você tente mudar de assunto, sei que há alguma coisa que não está me contando.

— Hugo, você precisa escutá-lo — disse a mãe de Finn. — E está na hora de você contar a ele algumas verdades também.

— Certo, Finn — continuou o pai. — Aqui está uma verdade. Logo antes de eu me tornar o primeiro membro desta família a se tornar um dos Doze, você quer que eu vá até o Conselho e diga que o meu Reparador, um homem a quem eles deram a mais alta honraria, está conspirando junto com o Lado Infestado.

— Só estou contando para você o que eu vi, pai.

— Talvez eu faça algumas piadas sobre a higiene pessoal deles depois disso.

— Foi o Sr. Glad que me atacou, eu sei disso.

— Quando você sabe alguma coisa, é porque eu contei a você. E aqui está a lição de hoje: o Lado Infestado vai congelar antes de eu aceitar que meu amigo mais antigo é um traidor.

O pai de Finn estava respirando nervoso pelas narinas, o peito subindo e descendo.

O telefone zumbiu, escorregando uns poucos centímetros através da mesa. Ele o pegou e leu uma mensagem. Ao fazer isso, seu olho esquerdo repuxou.

Ele olhou para Clara.

— O que diz? — perguntou ela.

Ele lhe entregou o telefone, levantou-se e saiu da cozinha.

Finn levantou-se e se inclinou sobre o ombro da mãe para ler a mensagem. Havia apenas duas linhas.

ORDEM DE EXECUÇÃO PRIORITÁRIA 23b PARÁGRAFO 5. ASSUNTO: GLAD.

— O que isso significa, mãe?

— Não tenho certeza — disse a mãe de Finn, devagar —, mas tenho a impressão de que significa que seu pai precisa começar a escutar alguém além de si mesmo.

41

O pai de Finn colocou a cabeça para dentro da porta da cozinha de novo, uma expressão impassível no rosto.

— Siga-me.

Finn se afastou da mesa e seguiu o pai pelo Longo Corredor, pensando que se dirigiam à Biblioteca. Mas seu pai ficou parado em frente ao retrato de Gerald, o Decepcionado.

— Esse não era o nome de Caçador original dele — contou o pai. — Sabe qual era?

Finn fez que não com a cabeça.

— Gerald, o Bravo. E sabe por que o nome mudou?

— Não.

— Por minha causa. Quando ele posou para este retrato, já devia ter se aposentado como Caçador de Lendas. Ele já devia estar cuidando daqueles bonsais, afiando machados e no geral desfrutando de seus hobbies. Deveria estar livre do dia a dia, do hora a hora, do minuto a minuto de não ter mais a responsabilidade de manter Darkmouth em segurança.

Seu pai abriu a porta com um gesto raivoso e saiu diante de uma porta mais estreita, de onde agarrou um traje de luta. Deslizando para dentro dele, apertou as fivelas em volta das pernas e ombros.

— Em vez disso, enquanto esta pintura estava sendo feita, ele tinha uma criança correndo pelo seu escritório. Eu. E ele não estava livre por causa daquele homem ao lado dele. Por causa do seu filho, meu pai, Niall Linguanegra.

Finn espiou o retrato de Niall Linguanegra. O Caçador de Lendas parecia nervoso, como se tivesse medo de cruzar o olhar com o espectador, mais interessado nos pedaços e peças espalhados ao seu redor.

— Se você quiser fazer as coisas de um jeito diferente, Finn, então vá em frente — rosnou seu pai. — Tente. Mas você vai acabar como o meu pai, abandonando tudo o que deve proteger. E eu vou acabar como Gerald, consertando o estrago.

Finn examinou o rosto do avô. Pensou ter visto algo novo naqueles olhos. Uma clareza de objetivos insinuando-se através da mansidão que ele sempre mostrara.

— Se você não me contar o que ele fez, como posso evitar repetir os erros que ele cometeu?

O pai soltou um suspiro profundo antes de erguer o capacete e entrar na Biblioteca, onde pegou um Dissecador. Ele se dirigiu para o caminho secreto através das prateleiras. Finn o seguiu, emergindo na rua e encontrando Steve, tranquilamente encostado contra a sua van, vestindo um traje de luta.

— Você recebeu a ordem dos Doze, então? — perguntou o pai de Emmie.

— Imaginei que fosse coisa sua — disse Hugo.

— Eu vi o que aconteceu na enseada. Rastreei aquele portal e observei da van. Eu precisava relatar aos Doze.

— A névoa lá estava mais densa do que a sua cabeça dura. Você não deve ter conseguido ver muita coisa.

— O Sr. Glad foi o primeiro a chegar ao local, mas eu não o vi chegar, apenas partir. Ele deve ter chegado lá antes de qualquer um de nós. Quando você disse que um humano tinha estado no portal, não liguei os pontos no início. Mas, depois, concluí: tinha que ser ele. E nós temos que prendê-lo.

Finn percebeu o que estava acontecendo, entendeu que estava certo nas suas suspeitas.

— Talvez. Mas você contou aos Doze que nós vimos quando *você* foi embora daquele local também? — perguntou o pai.

— O problema aqui, Hugo, é que você só consegue ver o que quer ver — respondeu Steve.

— Eu já disse a você, esta cidade é minha.

— E a bagunça é sua também.

— Os Doze me deram essa ordem. Eu não preciso de nenhum aprendiz para me atrapalhar — disse Hugo.

— Mas você precisa daquele lugar no Conselho dos Doze. Você pode me deixar para trás, mas não acho que vá abandonar essa chance.

— Espere aqui, Finn — disse seu pai. Ele então pulou para dentro do seu carro e saiu dirigindo depressa. Quando Steve correu para a sua van e disparou atrás dele, Finn viu Emmie parada na rua ao entardecer, sozinha.

— Ah, ótimo — resmungou Finn.

— Meu pai me disse para ficar aqui enquanto ele pega o Sr. Glad — disse ela, envergonhada. — Ele trouxe até um Dissecador desta vez, então deve ser sério.

Isso surpreendeu Finn. Seu pai também havia partido com um Dissecador, mas não esperava que o usasse em um humano. Emmie e Finn ouviram o ronco distante dos veículos a caminho da casa do Sr. Glad. Uma pergunta queimava na mente de Finn.

— Emmie, por que você acha que o Conselho queria que me vigiassem?

— Já disse — resmungou Emmie —, não sei. Eles estão preocupados com você.

— Por quê?

O rosto de Finn ficou vermelho de tanta frustação.

— Você disse que era uma profecia.

— Sim, mas eu não sei o que é.

— Significa que você não vai me contar — disse Finn.

— Não, de verdade, não sei — insistiu Emmie. — Só me pediram para ficar perto de você, entrar na sua casa, contar a eles o que estava acontecendo com você.

Finn esfregou o rosto, tentando apagar a frustração.

— Mas você disse que existe uma profecia.

— Mas eu não sei o que é.

— Você é só mais uma pessoa que não vai me contar o que eu tenho o direito de saber. Mesmo as Lendas parecem saber algo sobre mim que mais ninguém quer discutir.

— Então por que você não pergunta a uma delas? — provocou Emmie.

— Uma delas quem?

— Uma das Lendas.

— Sim, claro, é só esperar um portal se abrir e…

— Você não precisa esperar por isso — disse Emmie.

Ele levou alguns segundos para entender onde ela queria chegar.

— Ahn, a Biblioteca? — disse ela devagar, como se ele fosse um idiota.

O que, na verdade, ele era.

42

Finn ficou parado no centro da Biblioteca ciente de duas coisas: ele não deveria estar fazendo aquilo e Emmie com certeza não deveria nem estar perto dele enquanto ele fazia aquilo.

Era uma questão simples, na verdade. As partes reutilizadas da arma que formavam o Reanimador ainda estavam apoiadas contra a parede da Biblioteca. O Hogboon estava no seu pote, na frente de uma prateleira baixa.

— Eu queria contar que estávamos aqui para espionar você — dizia Emmie. — Mas eu não podia. Não tinha permissão. Eu teria me metido em uma encrenca terrível.

Finn pegou o que precisava enquanto ela tagarelava.

— Mas gostei de verdade de passar um tempo com você — continuou ela. — De verdade. Odiei mentir para você. Embora eu não tenha mentido, só nunca contei a verdade propriamente dita...

— Eu estava bem sozinho — comentou Finn.

— Pensei que você pudesse querer a minha ajuda aqui, com o Reanimador...

— Não falo apenas de agora.

— Ah.

Mesmo enquanto ele se esforçava para manter distância de Emmie, sentiu uma invasão contagiosa de coragem. O que ele estava fazendo ia contra tudo o que o pai queria que ele fizesse, mas parecia ser a única coisa que podia fazer.

— Acho que consigo me lembrar o bastante de como meu pai reanimou a Lenda — disse ele, ainda evitando fazer contato visual com Emmie. — Você pega aquele Dissecador e atira se houver algum problema.

— É, quanto a isso…

— Só faça o que quer que você tenha feito no treinamento.

Ele começou a andar pela sala, pegando o que precisava.

— Eu… — disse Emmie, hesitante. — Eu não treinei desse jeito.

— É mesmo?

— Meu pai é muito protetor. Digo, eu treino, mas ele ainda não me deixa usar o Dissecador. Ele me deixou segurar a arma uma vez, mas isso foi tudo. Disse que aquilo pode arrancar um olho.

Finn deixou a sensação de superioridade melhorar seu humor. Aquela noite já estava ficando um pouco melhor.

Uma luz fraca vinha da loja do Sr. Glad, vazando para uma ruela que escurecia e projetava as sombras de Hugo e Steve contra a parede perto da qual estavam agachados.

— Vamos contornar os fundos — sussurrou Steve, com o visor levantado, e o Dissecador apoiado no ombro.

— Vamos entrar pela frente — disse Hugo, levantando-se e seguindo adiante.

Eles pararam, cada um de um lado da entrada. Cestas de badulaques elétricos estavam empilhadas e expostas na frente da loja, prontas para esperar mais um dia por clientes que nunca viriam.

— Você ainda não acredita que ele nos trairia, não é, Hugo?

— Ele não tem nada a ganhar.

— A julgar pelo estado deste lugar, parece-me que ele não tem muito a perder — comentou Steve.

Hugo ergueu o Dissecador até o ombro.

— Não vai haver necessidade de atirar, então não faça nenhuma bobagem. Agora, vamos acabar com isso.

Do cinto, Hugo pescou um pequeno objeto no formato de um charuto, empurrou-o dentro da fechadura e apertou a parte de cima dele. Houve um *crack* abafado de uma fechadura se quebrando. A porta se abriu devagar.

— Arraste essa gaiola para cá — Finn disse a Emmie.

Ela, enfim, parara de falar, e, enquanto Finn colocava a esfera do Hogboon dissecado no chão da gaiola, pegou-a olhando para ele; Finn sabia que ela não estava apenas curiosa, mas também impressionada com o aparente conhecimento dele. Ele fez sua expressão mais convincente de confiança, o tempo todo desejando não estragar tudo.

Finn pegou o Reanimador e repetiu os movimentos que vira o pai fazer, empurrando o botão para a frente com o polegar e esperando enquanto o gemido agudo dava lugar a um *tique-taque* indicando que estava pronto. Depois, colocou a ponta no Hogboon murcho.

— É melhor você se afastar — disse ele a Emmie.

A bola dissecada brilhou, depois esfriou, pulou, torceu-se, até a volta da Lenda ser anunciada com um grito que poderia ter sido escutado em todas as Vilas Flageladas do continente.

A luz fraca e suave da loja projetava sombras contra a parede, as silhuetas de antigas chaleiras de latão e canos de plástico pendurados aos montes no teto, que faziam um pouco de barulho enquanto os dois homens entravam devagar. Hugo parou para procurar um interruptor no seu capacete, que acionou uma visão noturna embutida, fazendo seu mundo cintilar em tons de verde granulado. Steve foi de encontro às costas dele.

— Por que você não toca a campainha, então? — sibilou Hugo.

— E por que você não dá uma ligada para ele, se acredita que não há motivos para se esconder? — foi a resposta sussurrada de Steve.

Eles se deslocaram pela loja, pisando em caixas e barris, acharam caminho pela abertura no balcão e seguiram em direção à sala dos fundos, escondida atrás do balanço suave da cortina de miçangas. Eles esperaram cada um de um lado da porta. Steve apertou os olhos pela janelinha da porta e pensou ter visto uma figura em uma cadeira perto da parede mais distante. Com a visão noturna, Hugo conseguia ver a silhueta de uma pessoa, imóvel, um pouco curvada para a frente sob um chapéu de aba larga.

Steve colocou uma mão nas miçangas para entrar. Hugo agarrou seu pulso para contê-lo e, depois, deslizou através da cortina antes dele. Caminhou devagar até a figura na cadeira, em silêncio. Ao chegar até ela, inclinou-se lentamente e espiou o rosto dela por um segundo até ter certeza do que estava vendo.

Ele desligou a visão noturna e ergueu o visor.

— É só um manequim — disse.

— Uma enganação?

Hugo prestou atenção, mas não ouviu nada no prédio além dos pensamentos chiando pela sua cabeça e o desmoronamento da sua certeza. Ele andou até a cama e a cutucou, sabendo que o Sr. Glad não estava ali. Acendeu um abajur, dando à sala uma luz suave.

— Não é exatamente um luxo de cobertura, embora ele tenha alguns bons equipamentos aqui — disse Steve. — Ele tem outros esconderijos?

Pensando bem a respeito, Hugo fez que não com a cabeça, encarando uma das Granadas Sem Dedos do Sr. Glad, que estava no chão.

— Vou ter que pegar algumas coisas aqui — disse Steve, deslocando-se devagar pela sala na direção do manequim. — Depois que o pegarmos e dissecarmos, é claro. Talvez nosso amigo de plástico aqui nos diga alguma coisa.

Hugo viu o fio, saindo de uma Granada que estava bem perto de outra, e depois de mais outra, até o fio acabar, preso ao dedo maior do pé do manequim.

— Não mexa nisso!

Mas Steve já havia virado o manequim, puxando o fio. Lâminas brotaram na Granada mais próxima, apertando um pino e disparando lâminas na Granada ao lado, e na seguinte, em uma cascata que percorria metade da sala.

Tique, fizeram as Granadas. *Tique*.

43

— Pare de fazer isso! — gritou Broonie, antes de despencar no chão.

Cinquenta e três segundos aparentemente eternos depois, o intolerável tsunami de dor que Broonie sentia havia diminuído até virar um formigamento de alfinetes e agulhas quase suportável por todo o seu corpo pequeno e retorcido. Um pouco de energia o havia invadido de novo, dos nós endurecidos dos dedos dos pés até as pontas caídas das orelhas, e ele voltara a ter uma palidez mais saudável e esverdeada.

No entanto, ele se preparou para o desastre a qualquer momento. Essa viagem ao Mundo Prometido não havia corrido exatamente bem até então. Qualquer jornada que começa com você tendo seu dedo cortado nunca está destinada a ser uma boa temporada de férias.

A maneira como aqueles humanos ficavam destruindo e refazendo o corpo dele de novo e de novo fazia até mesmo os Fomorianos parecerem mais moles que a lama que se juntava do lado de fora da cabana onde ele morava.

Ele sentia muita falta da sua cabana agora.

Quando ele olhou novamente, o menino estava apontando uma arma para ele, todo nervoso.

— Isso foi incrível! — guinchou a menina. — Vamos encolher a Lenda e fazer de novo?

— Não, por favor — implorou Broonie. — Parece que alguém arrancou o meu cérebro pelo traseiro e depois o colocou de volta. — Seus olhos se estreitaram, desconfiados: — Onde estão os outros?

— Onde dói, exatamente? — perguntou o menino. — Já li um pouco sobre animais, sabe, coisas médicas. Talvez eu possa ajudar.

— Animais! — disse Broonie, muitíssimo insultado. — Não sou um animal. Vocês são os animais. Se vocês acham que eu pareço estranho, deveriam saber que vocês não são muito bonitos, com suas orelhas pequenininhas, dentes alinhados, pele de cor estranha e essas narininhas patéticas. Vocês nunca encontrariam namorados ou namoradas com nariz assim tão pequeno.

— Ele é tão fofo — disse a menina. — Será que já conheceu alguma Górgona?

— Perdão? — disse Broonie.

— Ou um Ciclope. Ou algum gigante, sério. Eu adoraria conhecer um desses.

— Tenho certeza de que um gigante poderia encontrar espaço no estômago dele se você realmente quiser tanto conhecê-lo — comentou Broonie.

— Desculpe por toda essa coisa de encolher e inchar você de novo — disse o menino, com uma educação que surpreendeu Broonie.

A esta altura ele esperava estar pendurado em um gancho pelas entranhas. Esse era o tipo de coisa que tinham lhe dito que os humanos faziam. Pedir desculpas não deveria fazer parte do caráter deles.

O menino continuou a falar.

— Meu nome é Finn. Eu moro aqui. O nome dela é Emmie e é melhor você ignorá-la. Você tem um nome?

— *Se eu tenho um nome?* Francamente. O que vocês acham que eu sou?

Os jovens humanos ficaram encarando-o até ele ceder.

— Brooniathon Elgin Astrophor Fleriphus.

Ele reparou no rosto sem expressão dos dois.

— Broonie.

— Não quero machucar você, Broonie — garantiu Finn. — Só preciso saber o que você quis dizer quando falou comigo.

— O que eu… O que eu quis dizer?

— Você disse algo para mim. No outro dia. Logo antes de…

No outro *dia*? Quanto tempo fazia desde que eles haviam feito sua mágica nele? Estava claro que era mais tempo do que parecera. Ainda assim, Broonie teve de relembrar aquele momento, relembrar exatamente o que ele havia pronunciado. E, então, tudo voltou à sua mente.

— Não tenho certeza — mentiu. — Talvez fosse importante. Talvez não fosse. Estou achando difícil lembrar.

— Ah, ele é uma graça — gritou Emmie em uma voz fina. — Uma Lenda de verdade! Você deveria ficar com ele como bichinho de estimação, Finn.

Os olhos de Broonie se arregalaram de desgosto.

— Mas você disse alguma coisa para mim — suplicou Finn. — Eu ouvi.

— Falei? Não sei. É difícil pensar com clareza nesta gaiola. Tão claustrofóbica.

Ele se agachou, com as mãos na cabeça.

— Talvez, se eu conseguisse respirar um pouco melhor, se você me deixasse sair daqui.

— Não — recusou o menino.

— Então me mande de volta para aquela quase morte. Se não pode me deixar sair, não sou útil para você.

Finn hesitou e, depois, caminhou para a frente, tirando uma chave do bolso.

— Se você prometer não fazer nada de perigoso, eu deixo você sair. Mas *só* se você me disser o que eu preciso saber.

Broonie espiou por trás dos seus dedos restantes. Ele tinha pena daqueles humanos feios com suas orelhas ridículas e sem pelos.

— Eu prometo — disse ele.

44

Finn abriu a gaiola. A Lenda que dizia se chamar Broonie saiu e se ergueu na sua estatura completa, que ainda era bem menor do que a de Finn.

— E então? — questionou Finn.

— Estou com sede — avisou o Hogboon.

Havia uma garrafa de água na escrivaninha, e Finn fez um gesto para Emmie pegá-la. Ela a entregou a Broonie.

Ele bebeu depressa e a água escorreu pelas suas bochechas e queixo.

— Extraordinário. Nunca provei nada como isto — ele arfou. — Como vocês tiraram o gosto de carcaça desta água?

— E então? — repetiu Finn, ignorando a pergunta de Broonie.

— E então?

— O que você quis dizer antes?

— Ah, sim, está sendo difícil lembrar — disse Broonie. — Aquele aparelho de encolher deve ter me bagunçado um pouco.

Emmie deu um pulo para a frente.

— Você prometeu! Ele deixou que você saísse e você disse que contaria.

— Mas ele não me deixou sair, deixou? — disse Broonie, olhando na direção da porta, um brilho nos olhos.

A expressão de Finn murchou, em derrota.

— Certo — disse o menino, depois de uma pausa.

Emmie pareceu surpresa.

— Se você quer meu conselho, Finn...

— Não quero.

Finn baixou o Dissecador e parou perto de Broonie.

— Preciso que você me diga o que sabe. Se fizer isso, ajudo você a ir embora. Ajudo a escapar.

Broonie lambeu o canto da mão, saboreando as últimas gotas de água presas ali.

— Então, vou contar o que eu sei: ele está vindo. Talvez já seja tarde demais.

— Quem está vindo? — perguntou Finn.

— Gantrua.

Ele notou o olhar inexpressivo de Finn e prosseguiu.

— Gantrua? O cara grande e violento? Um monte de cicatriz? Reina sobre muitas Lendas? Coleciona dentes? Está me devendo um dedo? — Broonie levantou a mão mutilada. — Você não ouviu falar do Gantrua? Bem, ele. E seu exército. Para ser sincero, eu que não expliquei quão terrível o Gantrua é. Uma vez ele usou só as mãos para arrancar a cabeça de...

— Não — interrompeu Finn.

— Arrancou a cabeça do quê? — perguntou Emmie.

Finn ergueu uma mão, pedindo silêncio.

— Só me diga: o que isso tem a ver comigo?

— Eu estava chegando lá — respondeu Broonie. — Há uma profecia e um aviso. Fui mandado para cá para dar o aviso a você.

— Uma profecia? Sobre mim? — perguntou Finn, sua mente travada enquanto ele tentava processar a informação.

— O filho do último Caçador de Lendas. Dizem que ele será a chave para o fechamento dos mundos.

— O que a profecia dizia exatamente?

Broonie puxou o fôlego pelo nariz, suas narinas se alargando como pequeninos paraquedas verdes se enchendo de vento. Depois, recitou o que sabia:

— "*As Lendas estão se erguendo. O menino deve cair*".

— O quê? — perguntou Emmie. — Tipo, ele deve cair no chão? Isso não parece…

— Não — disse Broonie, petulante. — O menino *deve cair*. Deve morrer.

45

A palavra ficou pairando entre eles por alguns momentos, premonitória, horrível.

Deve morrer.

— Isso provavelmente é só uma ameaça — insistiu Emmie.

— Não — disse Broonie. — A profecia é muito clara, na realidade. *O menino deve cair.*

— Eu… — Finn começou a falar, mas ele não sabia de verdade o que dizer.

— Mas talvez nem seja o Finn — disse Emmie. — É um pouco vago.

— Não, é bem detalhado, na verdade — afirmou Broonie. — E tem mais:

Da boca sombria deve vir o último filho do último Caçador de Lendas / Ele acabará com a guerra e abrirá a Terra Prometida / Sua morte no Lado Infestado será mais grandiosa do que qualquer outra.

— Ah — disse Emmie.

— É bem específico, na verdade — acrescentou Broonie.

Finn estava analisando a informação em pedaços na sua cabeça, tentando remontá-la de uma forma que pudesse lhe trazer o consolo de a profecia falar sobre outra coisa, ou sobre nada.

— Eu ainda nem Concluí — lembrou Finn. — Como vou sequer saber se sou o último? Pode ser uma pessoa totalmente diferente.

Ele olhou para Emmie, que percebeu que devia confortá-lo.

— É verdade, Finn. Poderia ser qualquer pessoa.

— Mas — disse Finn — você disse que os Doze mandaram vocês aqui para me observar. Você acha que eles sabem de alguma coisa? Tenho quase certeza de que o meu pai sabe.

— Pode ser.

Houve uma longa pausa.

— Você vai ficar bem com isso? — perguntou Emmie.

— Sobre qual parte? A coisa toda de descobrir que eu vou morrer? Ou a parte de as Lendas se erguerem?

Emmie baixou a cabeça.

— Ah.

Finn olhou para o Hogboon parado ao seu lado e se lembrou de algo. Uma alegria passou rapidamente por ele.

— Mas não pode acontecer ainda, pode?

— O que não pode acontecer? — perguntou Broonie.

— Você disse que a minha morte será a mais grandiosa, mas "*no Lado Infestado*". A menos que eu viaje para lá, não vou morrer.

— Bem, se isso faz você se sentir melhor, então por que não?

— Desde que eu fique aqui — disse Finn —, estou seguro.

— Talvez você vá ficar bem — disse Broonie. — Digo, para começar, você precisa acabar com a guerra antes, essa é a primeira parte da profecia. E quão difícil pode ser fechar os portais entre dois mundos e acabar com milhares de anos de guerra entre humanos e o nosso povo?

O Hogboon tossiu uma risada forçada. Finn e Emmie o encararam.

— Ahã — disse Broonie. — De qualquer forma, contei a você o que sei. Agora é a sua vez de cumprir a sua parte do acordo.

— Que monte de bobagem — disse Emmie. — Dê o Dissecador para mim, vou atirar nele.

— Não! — gritou Broonie. — Você não vai me explodir com essa coisa de novo. Dei o que você precisava, agora me dê o que foi prometido para mim.

Finn agarrou Broonie pelo braço e o arrastou na direção do fundo da sala.

— Se você usar aquele encolhedor maldito em mim de novo — Broonie começou a dizer —, juro pelos pés da minha mãe que vou caçar você até o dia em que sua pele virar areia.

Finn puxou Broonie pelo espaço empoeirado até a rua e o soltou.

— Corra — mandou Finn.

Broonie olhou ao redor.

— Correr para onde?

— Para qualquer lugar — respondeu Finn. — Só não volte.

Antes que o Hogboon pudesse se mexer, um brilho laranja apareceu contra o céu noturno, um esguicho de fogo surgiu de algum lugar no meio de Darkmouth. Ele logo foi seguido pelo barulho de uma explosão.

— O que foi isso? — perguntou Emmie.

Os olhos de Finn lhe disseram uma coisa, e seu coração confirmou. Ele soube imediatamente que a explosão só poderia ter vindo de um prédio.

46

Broonie saiu correndo da casa, fugindo tão rápido quanto podia pela rua. Mas Finn e Emmie não se moveram, não falaram nada, não recuaram. Nem mesmo quando um relâmpago atirou suas silhuetas contra a parede e um trovão arrebentou no céu.

Por alguns momentos, eles sentiram seu mundo queimar naquele fogo, viram seus maiores medos envolvidos pela fumaça que agora jorrava para cima na direção do céu negro.

Quando eles enfim falaram, disseram a mesma palavra ao mesmo tempo.

— Pai.

E, depois, da Biblioteca, eles ouviram um rádio chiar até ganhar vida e o pai de Finn tossir uma mensagem inaudível.

Finn correu para o rádio, pegou o receptor e gritou:

— Pai? Você está vivo!

— Por pouco. Armadilha. Loja destruída. — Ele tossiu novamente em meio a ondas de estática. — Mas tenho más notícias sobre o Steve.

Emmie olhou para o rádio; seu pavor era evidente.

— Ele está vivo também — disse Hugo, seguido por um protesto audível de Steve.

Emmie deixou-se cair, aliviada.

Um ruído de interferência atravessou a estática do rádio. Um segundo depois, um estrépito de trovão soou por toda a Darkmouth. A chuva desabou

— Finn — gritou Hugo. — Aquele céu. Vista seu traje. Algo grande está...

O resto foi perdido em um zumbido baixinho.

O alarme começou a gemer.

Um raio rasgou o céu, um choque que fez Finn entender.

— Quando meu pai descobrir sobre tudo isso, que eu deixei um Hogboon fugir, não vai importar se eu estiver deste lado ou do Lado Infestado. Ele vai me matar.

Do Guia Conciso do Mundo dos Caçadores de Lendas, Vol. 6, Capítulo 13: "Profecias — Passado, Presente e Futuro".

Apesar de sua adesão a segredos e burocracia, o Conselho dos Doze sempre teve prazer em deixar profecias se espalharem com base no fato de que a única coisa que realmente é possível prever é que elas não vão se tornar realidade. Na maioria das vezes. Mesmo os muitos Caçadores de Lendas do passado cujos nomes são relacionados com seu suposto poder de premonição — Leo, o Vidente; Agnes, a Previdente; Dermot, o Conhecedor do Amanhã — ficaram famosos por não saber dizer o que iriam comer no café da manhã do dia seguinte.

As profecias tendem a ser enlouquecedoramente imprecisas nas datas, dependentes de circunstâncias, sempre abertas a reajustes e muito facilmente reavaliadas quando o apocalipse previsto não se materializa. Às vezes elas acertam algo, mas do lado errado, de modo que quase deixam o dito profeta fingir que tinha acertado.

O caso mais famoso é o dos Charadasdamorte, um grupo de Caçadores de Lendas coreanos que, por meio de rimas complexas, previu que eles deveriam abandonar sua Vila Flagelada e ir para o topo da montanha mais próxima, onde — eles alegavam — um inferno cataclísmico os levaria para um paraíso sem Lendas. Ao chegarem ao topo, eles observaram sua vila incendiar lá embaixo até desaparecer porque um deles havia deixado o forno aceso.

Mesmo agora, com os portais quase fechados por completo, há muitas profecias novas e ativas. Em cada fase do Conselho dos Doze há um membro cuja função é manter o olho nas profecias em desenvolvimento, para avaliá-las e monitorá-las, mantê-las em segredo se necessário e registrar quão erradas elas acabam se revelando.

Algumas vezes, embora com pouca frequência, uma dessas profecias mostra alguns sinais de ser verdade. Ainda assim, mesmo nesse caso, ninguém tem certeza do que elas querem dizer na realidade. Tudo o que podem prever com garantia é que vai haver encrenca.

47

Finn correu, o traje de luta tinindo como címbalos junto com a batida imprevisível do trovão que caía sobre Darkmouth. Ele chegou ao fim da sua rua bem a tempo de encontrar o pai cantando pneu ao frear, abrindo a porta e dizendo para ele pular para dentro do carro.

O pai de Finn estava chamuscado, o rosto ensanguentado e preto, o traje de luta salpicado com a poeira de tijolos pulverizados, mas, de resto, parecia estar bem.

— Pai, estou tão feliz que você está…

— Olhe isto — disse Hugo, apontando para o escâner.

Ele estava cravejado de pontos verdes pulsantes. Finn contou cinco, talvez seis. Alguns piscavam uma vez e não reapareciam. Outros pareciam ser fixos e agourentos.

— Um ataque? — perguntou Finn.

— Uma invasão — disse seu pai.

— Vamos usar aquele aparelho que está na sua Biblioteca? — questionou Finn. — Basta explodir todas elas.

— Não — respondeu o pai, firme. — Ele não funcionou direito da última vez, e eu ainda não sei por quê. Pode destruir todas elas, pode não destruir. Pode fazer coisa pior. Eu posso conviver com a ideia de alguns peixinhos dourados vaporizados. Alguns moradores da cidade vaporizados seria um problema bem diferente. Não posso arriscar isso. Ainda não. Vamos fazer as coisas do jeito tradicional.

— Vamos conseguir conter todas elas?

— Só há uma maneira de descobrir — disse seu pai, acelerando o carro, com os pneus esguichando uma chuva de pedregulhos.

A van de Steve apareceu cantando pneu, deslizando em frente a eles e forçando-os a desviar e parar.

O pai de Emmie saiu correndo do veículo, com traje de luta e capacete, visor aberto, enquanto piscava os olhos para a chuva forte. Ele bateu na janela.

— Tem portais demais se abrindo para apenas vocês dois.

— Cubra a praia — disse Hugo. — Há dois portais ali. Mantenha o seu rádio na minha frequência. Nada de armas medievais. Não seja idiota. E, se eu lhe disser para fazer alguma coisa, faça. Acha que consegue fazer isso direito?

Steve suspirou e correu de volta para a van. Ao abrir a porta, Finn pôde ver Emmie no banco do passageiro. Ela estava usando seu traje de luta. Mesmo a distância, tanto a armadura quanto o capacete que ela usava brilhavam de tão novos. Finn não conseguia ter certeza, mas achou que ela lhe mandou um sorriso rápido, talvez um esforço para lhe passar segurança, quando ela claramente estava precisando se convencer também.

Ela fez para ele um sinal de positivo com o polegar.

Os dois veículos partiram, virando em direções opostas no fim da rua.

— Finn — disse seu pai —, provavelmente a situação vai ficar difícil. Você vai ter que cobrir um portal sozinho. Pode pegar o que está perto da escola e eu vou cuidar dos dois que estão aparecendo perto da ponte.

Ele puxou a pequena tela do painel e a entregou a Finn.

— Fique de olho no escâner. Se o seu portal se fechar, corra para o outro mais próximo. Seu rádio está funcionando desta vez?

Finn apertou o botão, encolhendo-se com o barulho, que fez doer o seu tímpano.

— Pai, o que aconteceu com o Sr. Glad?

— Você tinha razão sobre aquele homem — disse seu pai. — Foi isso o que aconteceu.

Finn sentiu uma mistura de alívio e constrangimento com esse estranho momento em que ele estivera certo e o pai, errado, em vez do contrário. Mesmo enquanto eles aceleravam por ruas familiares, parecia que o mundo havia virado de cabeça para baixo.

O carro avançava por uma rua estreita, espirrando água da chuva e chacoalhando ao passar por cima de um minilago na cratera que tinha sido aberta pelo Dissecador, na rua principal, onde o Wolpertinger havia atravessado.

— Mas há mais alguma coisa se passando na sua cabeça — disse o pai de Finn. — Quase posso ouvir seu cérebro trabalhando.

Finn pensou em falar mais, mas decidiu não fazê-lo.

— Estou me sentindo bem, eu acho.

O carro parou na escola. Finn pegou o Dissecador, prendeu o escâner no cinto, abriu a porta e pulou direto em uma poça funda. Suas botas logo se encheram de água.

— Desculpe por eu não poder ficar, Finn.

— Você só iria me atrapalhar, pai.

Com um sorriso, seu pai saiu dirigindo.

Finn correu na direção da escola, mergulhando por uma pequena fresta nos muros altos da frente. Do outro lado do estacionamento vazio, acima da entrada do prédio, ele viu o portal. Não havia sinal de mais nada. Nenhuma Lenda se arrastando para fora. Nenhuma poeira espessa se depositando mesmo no molhado. Nenhum homem de chapéu preparado para estrangulá-lo. Nada.

O portal lançava um brilho dourado na água que escorria pelos tijolos até um riacho que serpenteava pela rua. Não havia o que Finn pudesse fazer além de se agachar sobre as botas encharcadas e esperar.

O rádio chiou e foi ativado. Ele ouviu a voz de Steve.

— Estamos aqui. Prontinhos — anunciou ele.

Finn estremeceu, pensando em como Emmie havia reagido ao jeito obviamente bobo do pai. Ele a imaginou em algum lugar em Darkmouth, perto do portal com o pai, o cabelo enfiado para dentro do capacete, boca aberta ao ver aquela janela para o Lado Infestado. Despreparado. Vulnerável.

— Estou perto de um portal na ponta alta da Alameda Morro da Morte — disse o pai dele pelo rádio. — Nenhum sinal de vida aqui. Alguém?

— Aqui não — disse Steve.

— Nada, pai — confirmou Finn.

— Há outro um pouco mais a oeste daqui — disse Hugo. — Vou verificar. Fiquem todos em alerta.

Depois de um minuto, a voz de Emmie chegou ao rádio.

— Finn? Você consegue me ouvir? Como estão as coisas?

— Só comunicação essencial, vocês dois — interrompeu o pai de Finn. — Estou no outro portal agora. Tem mais ou menos o mesmo tamanho, mas nada saiu dele. Vou ficar parado aqui. Sugiro que todo mundo faça o mesmo.

A chuva se atirava no chão como estilhaços de balas; cada vez mais forte na viela onde Finn estava encolhido, esperando. O portal permanecia onde estava, fixo no lugar, uma luz efervescente pulsando suave nos seus cantos. Para algo que trazia tanto terror para este mundo, Finn o achou estranhamento convidativo.

Ele se aproximou mais, até a luz lamber seu visor. Tirou a luva da mão direita com os dentes e tocou nela.

A superfície do portal era quente, quase fazia cócegas. Ele empurrou a mão mais um pouco e observou a luz se acumular em volta dela como se fosse líquida. A mão dele quase desapareceu por completo até as pontas dos dedos registrarem um choque de ar frio. Ele então se lembrou das histórias de Caçadores de Lendas que haviam se aproximado demais

daquelas coisas e se afastou depressa, examinando a poeira escura que se formava sobre seus dedos, engrossando sob suas unhas, persistente mesmo sob a chuva forte.

Ele recolocou a luva e continuou a esperar.

A voz de Steve estava no rádio de novo.

— Eles nos colocaram em uma caçada louca às Lendas.

Nada veio depois disso, além de chiado de rádio e de estrondo de trovão.

Com a atenção oscilando, Finn ergueu seu visor e, usando o antebraço para enxugar a chuva da tela do escâner, olhou para as luzes verdes piscantes. Elas pareciam ter ficado fixas no lugar, cinco no total, com espaçamento irregular. Mas havia algo na disposição dos portais que o incomodava, algo que ele devia estar enxergando.

Mas não teve chance de pensar nisso.

O portal perdeu um pouco o brilho e, depois, clareou de novo. Finn ergueu o Dissecador. Em seguida, deu um passo para trás quando uma Manticora apareceu no ar com garras à mostra e dentes arreganhados. Ele puxou o gatilho.

Nada aconteceu.

48

A Manticora saltou do portal e atingiu o chão atrapalhada, desmoronando sobre o ombro e deslizando.

Finn puxou o gatilho de novo. Ainda nada. Nenhum fogo azul. Nenhuma rede brilhante. Apenas um chiado patético e nauseante do seu cano, que não funcionava.

O rádio deu um clique e ligou. Era Steve.

— Espere, Hugo, alguma coisa está… Aí vêm elas!

A isso se seguiu o violento *fzzzt* de um Dissecador sendo disparado e, depois, o assobio da estática.

— O que é? — quis saber o pai de Finn pelo rádio. — De que tipo?

A resposta de Steve foi abafada pelo som de tiros. Finn tinha certeza de que ouviu Emmie gritar.

Depois, o rádio foi cortado de novo.

A Manticora logo se endireitou e pulou nele. Finn deu um grito e jogou o Dissecador na Lenda. Por pura sorte, acertou a criatura bem entre os olhos e a Manticora despencou no chão e ficou caída ali, sem se mexer.

Finn tomou fôlegos pesados de alívio, com o vapor subindo e desaparecendo do seu visor, e tentou descobrir se tivera azar de o Dissecador não funcionar ou sorte com sua jogada. De qualquer maneira, a Manticora estava inconsciente por causa dele, e ele permitiu que um sorriso forçado aparecesse em seu rosto.

Lembrou-se do rádio e hesitou antes de apertar o botão.

— Pai... — ele começou a dizer.

Seu pai voltou ao rádio gritando:

— Contato! Contato!

Pelo rádio, Finn ouviu um som que, de repente, era terrivelmente familiar: o chiado de um Dissecador que não funcionava bem.

A voz de Steve voltou, esforçando-se para ser ouvida acima do som de uma luta feroz.

— Manticoras!

Um *fzzzzt*. Silêncio de novo.

Espere aí, pensou Finn. *Manticoras?*

Depois, a voz do seu pai.

— Tem mais atravessando por aqui também. O Dissecador não está disparando. Mudando para armas de curta distância.

— Hora de voltar à Idade Média, Hugo! — gritou Steve alegremente por cima do barulho.

— Finn? — perguntou o pai. — Qual é a sua situação?

Naquele momento, a cabeça de Finn estava ocupada com três pensamentos concorrentes.

Primeiro, quão improvável era que os Dissecadores tanto dele quanto do pai parassem de funcionar, do mesmo jeito, no mesmo exato momento.

O segundo era que havia algo na disposição dos portais que parecia organizado demais.

E, terceiro, cada vez mais se acotovelando para chegar à primeira posição na sua mente, havia a percepção de que, no portal que ele encarava, havia uma bolha escura se aproximando.

Outra Manticora se derramou no asfalto. Uma segunda emergiu quase imediatamente depois, pousando em cima da primeira, arranhando e mordendo.

Quando as Manticoras finalmente pararam de atacar umas às outras, Finn havia sumido.

49

Por meio segundo, um raio mostrou a Finn o caminho pelo corredor vazio da escola, iluminando mil sorrisos forçados nas fotos de classe desbotadas espalhadas pela parede.

Depois, escuridão de novo. Nenhum som além dos passos lentos e ruidosos de Finn de uma sala a outra. Pelo rádio, ele conseguia ouvir os sons de uma cidade sob ataque. Seu pai às vezes gritando as novidades sobre sua luta de mão contra garra com as Manticoras invasoras. Steve respondendo com gritos de satisfação e o cuspe de um Dissecador. Ele ouviu também Emmie, dizendo alguma coisa. "Eu vou para o carro" ou talvez "eu vou jogar barro", ele não tinha certeza. Mas ela parecia estar bem e ele ficou aliviado com isso.

De dentro ou de fora da escola — ele não conseguia ter certeza —, Finn ouviu o som distante de uma lixeira sendo derrubada e o barulho de latas tombando para fora. Ele congelou e ergueu o visor um pouco para ouvir melhor. Tudo o que escutou foi a chuva lá fora.

Finn continuou avançando pelos corredores, procurando o lugar certo para se esconder, talvez para fazer uma emboscada. Mas emboscada com o quê? Pegou o Dissecador, mas ele parecia sem vida em suas mãos.

Ele se arrastou pelo prédio. Um raio revelou por um breve momento uma raposa empalhada, meio de espreita, meio rosnando, dentro de uma caixa de vidro. Um estrondo de trovão se seguiu.

Ele se perguntou o que o pai faria nessas circunstâncias, mas logo se lembrou de que o pai *estava* nessas circunstâncias e não estava se arrastando por uma escola à procura de um lugar para se esconder.

Talvez fosse melhor perguntar a si mesmo o que o pai iria *querer* que Finn fizesse nessa situação. Entretanto, ele sabia que, definitivamente, não envolveria se arrastar por uma escola à procura de um lugar para se esconder.

Ainda assim, ali estava ele.

Parecia que a tempestade havia enfraquecido um pouco. Os intervalos entre os raios eram mais longos, o que significava maiores momentos de escuridão profunda enquanto ele seguia pelos corredores. Finn verificou o escâner e viu que o portal do lado de fora da escola havia se fechado.

Ele se tranquilizou lembrando que conhecia esses corredores, andava por eles quase todos os dias, conhecia seus ângulos e reentrâncias; podia se deslocar por eles de olhos vendados. Depois, bateu direto contra uma parede que não esperava que estivesse ali.

O gemido que lhe escapou e o som de uma pequena onda de choque percorrendo seu traje pareceram ecoar por todo o prédio. Ele prendeu a respiração, ficou totalmente imóvel e com os olhos arregalados.

Um raio iluminou o corredor. Nenhuma Manticora. Escuridão de novo.

Ele ergueu um pouco o visor, mas não conseguiu enxergar melhor. Na escuridão, procurou o botão na lateral do capacete que ativava a função de visão noturna e a ligou. No mesmo instante, o mundo mudou: tornou-se uma versão de bolhas verdes e manchas escuras.

Especialmente verde era a bolha em forma de Manticora a apenas alguns metros de distância.

Talvez ela fosse embora se ele desligasse a visão noturna. Assim ele fez.

Uma voz de outro mundo, grave e malévola, flutuou pela escuridão:

— O que está na escuridão e não é nada brilhante?

Ele ligou a visão noturna de novo. A bolha verde pulou nele, rosnando.

Finn caiu no chão e começou a se arrastar para trás, fugindo, mas a Manticora o alcançou depressa e enfiou os dentes na armadura do joelho dele.

Ele golpeou a Lenda com o punho do Dissecador até ela soltar, forçando-a a largá-lo, alguns dos dentes se demorando um pouco mais.

Enquanto a Manticora saltava mais uma vez sobre ele, Finn jogou seu Dissecador contra ela, acertando-a bem no meio da boca. Um dente saiu voando.

Sem ser detida, a Manticora lançou sua cauda na direção de Finn e disparou um ferrão venenoso. Finn sentiu o míssil se alojar na pequena fresta que ele abrira no visor, a ponta afiada quase raspando no seu queixo.

Em choque, Finn arrancou o ferrão. A Manticora avançou nele de novo, garras e dentes quebrados à mostra e, bem quando suas patas da frente chegaram aos ombros dele, Finn a apunhalou na barriga com seu próprio ferrão. A Manticora urrou e, com as garras enterradas no traje de Finn, começou a se debater de um jeito horrível, até Finn jogá-la para longe. A Manticora caiu no chão, tagarelando feito louca.

Mesmo depois da agressão, Finn sentia cada vez mais compaixão por ela. Assim tão de perto, ela era na verdade uma bela criatura, seu pelo de um brilho dourado e, abaixo dele, a pele esticada sobre os músculos. Ele meio que estendeu a mão, perguntando-se se, talvez, deveria ajudar.

A Manticora tentou mordê-lo. Finn pulou para trás, devidamente punido, sentindo algo estalar sob seus pés. O falatório da Manticora se acalmou e, de repente, ela caiu em completa imobilidade.

Conforme os nervos de Finn se estabilizavam de novo, ele sentiu uma alegria crescente borbulhar pelo seu corpo. *Isso conta?*, perguntou-se ele. Finalmente havia parado duas Manticoras. Ele as havia derrubado, imobilizado, enfim derrotado Lendas. *Isto é uma caçada bem-sucedida? E aquela coisa era o dente dela!*

Ele se afastou e tentou não pensar nisso de novo.

Seu rádio ganhou vida novamente, mas tudo o que ele conseguiu ouvir foram os resmungos regulares e controlados do pai enquanto ele lutava.

O aparelho desligou, depois ligou de novo, substituído pelo Dissecador de Steve atirando com fúria. Finn pensou de novo em Emmie ali e imaginou se ela estaria envolvida naquela batalha ou enfiada na van em segurança, longe da ação.

Sua visão ficou branca com um raio, a não ser pela sombra alongada e escura da última Manticora, que assomou pela parede de um corredor bifurcado.

O rádio de Finn chiou no seu fone. Nervoso, ele o agarrou para abafar o ruído. Mas era tarde demais.

Ali nos corredores escuros, a última Manticora havia escutado a leve agitação. A Lenda se virou e começou a persegui-lo.

50

O humano estava perto. A Manticora conseguia senti-lo. Conseguia cheirá-lo também, embora o aroma fosse quase encoberto pelo aterrorizante odor de gerações de jovens humanos que havia se infiltrado em cada poro daquele prédio.

A Lenda avançou furtivamente enquanto tentava inventar uma charada especialmente impressionante para seu momento de triunfo. Algo original, talvez inteligente. Algo para contar aos amigos quando voltasse para casa.

Distraída com esse pensamento, ela passou uma esquina até outro corredor, não notou nada e seguiu em frente.

O rádio estalou de novo, mais alto desta vez. A Manticora parou, as orelhas em pé e girando como antenas.

Ela se virou de volta na direção da esquina que acabara de passar e seguiu pelo corredor.

Na escuridão, a Lenda mal conseguia enxergar a fila de portas fechadas de cada lado do corredor. A não ser por uma. Atrás daquela porta aberta, um rádio chiou, lançando vozes distorcidas. A criatura lambeu os lábios, sorriu com sua sorte e com a charada brilhante pela qual se decidira em seu momento de triunfo.

A Manticora se jogou pela porta aberta, pulando para dentro da sala com um rosnado de ferver o sangue. Ela colidiu direto contra um monte de cabos de pincéis e uma pilha de latas de tinta.

Atirado no chão estava o rádio solto. Ele estalou de novo.

Finn bateu a porta do armário do zelador antes que a Manticora conseguisse escapar. Ele arrastou uma mesa em frente à porta para bloqueá-la. Depois, pegou outra mesa e a empurrou para lá também. Ele prensou uma cadeira contra essa mesa. Melhor prevenir do que remediar.

Presa, a Manticora arranhou a porta, frenética, em uma tentativa nervosa, barulhenta e fútil de sair.

Aliviado, Finn meio que caiu para trás, atravessando a porta de uma sala de aula. Era a dele. Ele tateou o caminho, apoiou as costas em uma parede e deslizou até o chão. A visão noturna estava ficando desgastante para seus olhos e, assim, ele a desligou.

Conforme seus olhos se acostumavam com o escuro, ele espiou por uma janela. Do lado de fora, a noite resmungava com trovões.

O escâner piscou fraco. Não havia mais nada onde seu portal estivera, mas outro se abrira mais ao leste. Iriam esperar que ele cuidasse desse.

A posição dos portais cutucou seu cérebro de novo. Algo a respeito deles parecia ser importante. Ele só não conseguia entender o quê.

Do outro lado do corredor, a Manticora continuava suas tentativas de cavar um caminho para fora do armário, seus horríveis palavrões ecoando pelo prédio.

Um raio iluminou a sala de aula, brilhando pelo quadro branco, que estava decorado com os triângulos e ângulos da aula de matemática de Finn. Conforme um trovão ressoava pelo céu, um entendimento passou pelo seu cérebro.

Ele se ergueu e usou a luz fraca do escâner para iluminar o quadro branco. Depois, olhou para a tela de novo. Não era óbvio. Não era perfeito. Mas os portais formavam um desenho tosco pela cidade. Parecia um cristal.

Pela tela, ele puxou seus dedos de cada ponto para o centro. Seus olhos se arregalaram. Sua boca se abriu. As linhas que ele tinha desenhado levavam a um ponto definido no centro de Darkmouth.

Uma rua em particular.

Uma única construção.

Finn estreitou os olhos. Era quase como se os portais tivessem sido pensados para atrair sua atenção *para longe* daquela construção, para distraí-los de algo que acontecia ali.

Finn tentou o rádio. Nenhuma resposta de seu pai nem de Steve.

Ele hesitou por um momento, controlou o seu medo. Ele sabia o que precisava fazer. Sabia onde precisava estar.

Virou-se e correu para casa.

51

Por toda a Darkmouth, a chuva fluía pelas ruas, janelas balançavam com os trovões e luzes de poste bruxuleavam na tempestade. Não pela primeira vez, criaturas híbridas bizarras estavam provocando tumulto pela cidade.

No entanto, o povo de Darkmouth não fez o que costumava fazer. As pessoas não se encolheram nos recuos das portas. Não se esconderam dentro de casa. Os murmúrios de descontentamento haviam crescido nas lojas e nos cafés, nos salões de beleza e nos açougues, nos portões da escola onde os pais se reuniam, nos pátios da escola onde as crianças brincavam. O povo de Darkmouth havia sido passivo por tempo demais. Uma tempestade começara e a paciência deles acabara.

Eles emergiram das casas, lojas e restaurantes. Um a um. Depois, dois a dois. Pequenos grupos se unindo em uma marcha pelas ruas molhadas. Todos indo na mesma direção. Para a fonte daquela tristeza na sua cidade.

Finn correu bastante. Conforme ele se aproximava de casa e se afastava de qualquer portal aberto, ocorreu-lhe o pensamento de que ele tinha de estar certo sobre aquilo… Porque ele devia seguir para outro portal, não para longe deles.

Ao mesmo tempo, ele sentia o bambear conhecido em suas pernas à medida que o medo o incentivava a abandonar qualquer ideia de ser o herói. Ele correu para se libertar desse pensamento, tentou deixá-lo para trás nas ruas encharcadas. A disposição dos portais recentes parecera inconfundível para ele: eles formavam um perímetro irregular bem longe do centro. O centro era sua casa.

Se alguém pretendia arrastar Finn e seu pai para longe de sua base, aquele seria um modo eficaz de fazê-lo. E, se alguém queria arrastar um Caçador de Lendas para longe da sua base, nunca seria pelo motivo mais bem-intencionado.

Mais do que isso, a mãe de Finn estava lá.

Mais uma vez, Finn tentou chamar o pai ou Steve pelo rádio. Mas havia apenas estática.

Ele levou algum tempo para reparar no fluxo lento e regular de moradores da cidade, que, apesar da tempestade, se deslocavam em uma direção que era suspeitamente parecida com a que ele seguia. Continuou abrindo caminho pelo labirinto de Darkmouth, cada passo anunciado pelo barulho de botas na água e pelo tilintar do seu uniforme. A chuva obscurecia sua visão, e, assim, quase não viu a multidão que se juntava no espaço pequeno de uma ruela.

Ele diminuiu o passo e recuou para ver a multidão aglomerando-se em um muro, gritando exigências, pedindo sangue. Em meio às pernas das pessoas, Finn conseguiu enxergar uma figura agachada contra os tijolos e afastando ocasionais chutes e socos.

Era Broonie.

— Para trás — disse Finn com a voz mais grossa e autoritária que conseguiu, a qual não era especialmente grossa. Nem autoritária. — Eu cuido dessa Lenda.

A multidão parou o ataque para observar Finn andando a passos largos na direção deles, o mais alto que podia, com o visor abaixado e balançando o Dissecador.

Um homem retomou sua tentativa de chutar Broonie.

— Eu não faria isso se fosse você — disse Finn. — Chute essa criatura no lugar errado e ela vai explodir.

Todos deram um passo para trás, embora não parecessem completamente convencidos.

Broonie pulou do chão molhado.

— Por que nós deveríamos confiar em você? — perguntou um homem.

— Nossa unidade móvel de Caça a Lendas está na esquina. — disse Finn. — Vamos lidar com essa criatura lá.

— Não deixem que ele me leve — implorou Broonie, fazendo teatro. — Eles fazem coisas horríveis lá.

— Vá pegar uma daquelas armas, então — disse o homem a Finn. — Vamos prendê-la a ele até que você volte para acabar com ele aqui.

— Eu posso fazer isso — respondeu Finn. — Mas apenas se vocês todos quiserem correr o risco de serem sugados para o, ahn, Vórtice de Lágrimas.

— Vórtice de Lágrimas?

— Isso aconteceu com o meu tio uma vez. Ele ficou ali por mil anos antes de ser reencontrado.

Ele abriu caminho entre as pessoas, agarrou Broonie pelo braço e o arrastou para longe da multidão.

— Isso dói mesmo — murmurou Broonie.

— Silêncio, Lenda — ordenou Finn.

Ele puxou Broonie virando a esquina, para fora de vista, e disse a ele:

— Corra.

— Foi isso que você me disse da última vez — disse Broonie. — Uma direção seria útil.

— Para qualquer lugar.

Broonie fez que não com a cabeça, suspirou e saiu correndo, permitindo que Finn retomasse a corrida até sua casa, seguido por um grupo pequeno e furioso que logo percebeu que não havia unidade móvel de Caça a Lendas na esquina, nenhuma intenção de matar a Lenda e, provavelmente, nenhum Vórtice de Lágrimas, embora ninguém estivesse preparado para se arriscar com este último.

52

Finn virou para a sua rua. Já havia algumas dúzias de pessoas ali, sua raiva estalando com o trovão.

— Fiquei no salão e vi essas pessoas correrem perigosamente pelas nossas ruas — ele ouviu uma mulher dizer, seu cabelo duro e para cima, protegido por um grande guarda-chuva laranja. — Isso não pode continuar. Precisamos fazer justiça com nossas próprias mãos!

— A gente devia tocar a campainha? — perguntou um homem.

— Não estou vendo o carro do Hugo aqui — disse outro. — Talvez eles não estejam em casa. Podemos voltar mais tarde.

— Não! — insistiu a primeira mulher. — Eles não vão nos manter do lado de fora.

— Com licença — pediu Finn, abrindo caminho até a frente.

Ele teve dificuldade para pescar um chaveiro em um bolso enfiado debaixo da sua armadura e, finalmente, sob o olhar desconfortável da multidão, temporariamente constrangida por sua chegada, conseguiu destrancar a porta da frente e entrar.

— Bem, de todas as… — reclamou a líder do grupo antes de ser silenciada por Finn, que fechou a porta na cara dela.

Do lado de dentro, a casa de Finn estava escura, a não ser pelo brilho ocasional dos raios; silenciosa, a não ser pela chuva nas janelas e pelo barulho do seu traje de luta. Ele levantou o visor e avançou devagar.

— Mãe? — ele elevou a voz rouca o mais alto que pôde. — Você está aí?

Com um flash de luz, Finn viu que a porta para o Longo Corredor estava aberta. Ele se assustou com uma pancada atrás de si. Depois, a batida urgente de uma palma na porta. Com o Dissecador inútil erguido por força do hábito, ele girou de volta na direção da porta da frente e viu uma silhueta familiar batendo com força no vidro.

Soltou a arma e abriu a porta para Emmie.

— Agora, ouça, menino… — disse a mulher cada vez mais irritada à frente do crescente protesto, mas o restante do discurso foi cortado por Finn, que bateu a porta na cara dela de novo.

— O que você está fazendo aqui? — perguntou ele a Emmie.

— Nós estávamos chamando você pelo rádio — explicou ela, tentando recuperar o fôlego — e não havia som até aparecer um rosnado que parecia uma Lenda muito brava. Eu fiquei preocupada que alguma coisa tivesse acontecido com você. Meu pai estava se divertindo demais para se importar. Para ele, esse tiroteio todo é como se fosse manhã de Natal. Mas ele não me deixava fazer nada além de observar da van. Então eu disse que ia correr para ver se você estava aqui. E você está. E todas as pessoas da cidade também. Elas não estão felizes lá fora. Esses trajes de luta dão coceira, não é?

Ela enfim respirou fundo.

Finn verificou o escâner no seu cinto. Três portais continuavam abertos.

— O que você está fazendo aqui na real, Finn? — perguntou Emmie.

— Não sei exatamente, mas suspeito que seja porque alguém não nos quer aqui.

— Brilhante — disse Emmie e, depois, tombou a cabeça, perplexa. — Espere aí. O quê?

Finn mostrou o escâner para ela.

— Os portais se abriram em volta da cidade, levando a gente para *longe* da casa.

— Então, estamos aqui porque não há portais.

— Sim, mas isso significa que deve haver outra coisa — disse ele ansioso, antes de se acalmar. — Eu acho.

Emmie pensou naquilo por um segundo.

— Você acha que poderia ser *alguém?* Ou alguma *coisa?*

Da parte mais distante da casa, ecoando pelo Longo Corredor, veio um baque seco, repentino e distante.

Emmie olhou para Finn.

— Você não precisa fazer isso.

— Não, *você* é o único que não tem que fazer isso — disse Emmie.

Ele andou na direção da porta aberta do Longo Corredor, lutando contra a vontade de parar, mas não conseguindo.

— É você que não precisa fazer isso. Eu que devo ser o Caçador de Lendas aqui. Você não precisa vir comigo.

— Está brincando? — disse ela, sorrindo. — Estamos nessa juntos. Eu devo isso a você. Além disso, você é quem está com o Dissecador. Espere, cadê o seu Dissecador?

— Ah, é. Eu o joguei em uma Manticora. Foi um ótimo golpe, de verdade…

Mas Emmie já havia atravessado a porta.

Ele a seguiu, dizendo a si mesmo que o que quer que estivesse no final do corredor não era algo com que ele não pudesse lidar. Ele era um Caçador de Lendas. Quase. Em breve. Talvez.

No entanto, ele lembrou a si mesmo tudo o que havia feito até então nesta noite. Derrotou Manticoras. Escapou delas. Descobriu o que quer que tivesse descoberto, embora ainda não tivesse descoberto de verdade o que era.

E fizera tudo isso apesar de querer fugir a cada curva. Embora ele tivesse, na verdade, fugido na escola. Ainda assim. Ele vencera. Ele sobrevivera. Até então.

No Longo Corredor, a tempestade iluminava os retratos, rosto após rosto, dos ancestrais de Finn, observando-os avançar devagar na direção do fino contorno de luz que conseguiam enxergar em volta da porta da Biblioteca.

— Esta é a primeira vez em que eu penso que posso ganhar um retrato um dia — sussurrou ele.

— Você vai ganhar, Finn. Eu sei que vai. Você vai Concluir. Vai ter uma linda cerimônia.

— O que você quer dizer? — perguntou Finn.

— Meu pai me contou dos canhões.

— *Canhões?*

O traje de luta dele retiniu uma vez e ele parou por um momento, constrangido, como se seu estômago tivesse roncado. Emmie foi em frente. Finn observou.

— Mas isso não é o que me assusta agora, na verdade — disse ele.

— O que é?

— Que eu possa ser o último retrato. Que o que o Hogboon disse é verdade e, quando tudo acabar, vou estar acabado também.

Eles haviam chegado à porta da Biblioteca, e as pernas de Finn pareciam fracas.

Uma batida abafada vinda de dentro chamou a atenção deles. Finn olhou de novo para Emmie em busca de uma confirmação de que ela também ouvira. Ela o encarou de volta. Nenhum dos dois disse nada. Foi apenas quando ela retorceu um pouco o rosto que Finn percebeu que ela estava esperando que ele fosse primeiro. Ele respirou fundo e abriu a porta.

Logo desejou não ter feito isso.

53

O Sr. Glad estava saltitando ao redor do aparelho que o pai de Finn construíra. Apertando botões. Passando um dedo pela tela do computador. Verificando fios. Dando um tapinha aqui e ali com a parte de trás de uma chave de fenda.

— O que você está fazendo? — perguntou Finn.

O Sr. Glad deu um pulo, como se estivesse assustado, colocou uma mão sobre o coração.

— Bem, garoto, você me pegou de surpresa. Então você conseguiu, no final das contas. Talvez você seja melhor do que eu pensava. E vejo que tem sua amiguinha com você. Fez um bom trabalho de costura nesse traje de luta, mocinha.

Ele voltou aos consertos.

Em uma escrivaninha, ao lado do computador, um rádio estalou. A voz do pai de Finn emergiu brevemente para a sala, quase incompreensível com o barulho da luta em andamento. O Sr. Glad parou para escutar, até o rádio silenciar de novo.

Um som que parecia um arranhão veio da parte de trás da invenção do pai de Finn.

— Sr. Glad, o que está fazendo? — perguntou Finn novamente.

— Imagino que esteja bem caótico lá fora — respondeu o Sr. Glad. — Tiveram um probleminha com os Dissecadores, não foi? Quem poderia ter imaginado?

Houve mais arranhões vindos da parte de trás do aparelho. Insistentes. Talvez frenéticos.

O Sr. Glad tirou o relógio de dentro do casaco, examinou-o e, depois, devolveu-o ao bolso.

— Sabe, menino, há algumas vantagens em ganhar a confiança de um Caçador de Lendas. Ele deixa que você entre no mundo dele. Não por completo. Não até o centro. Não. Somente até onde ele quer deixá-lo entrar. Mas isso pode ser suficiente para que você encontre caminho através da arrogância e da bondade dele, até que você alcance o ponto cego. Essa é uma lição para você. Não que vá conseguir usá-la.

Ele fez um gesto para o centro do piso. Uma enorme quantidade de fios saía do grande aparelho, unindo-se em um vidro com um líquido azul que estava dentro de um cilindro de metal coberto de fita isolante. Preso a ele estava um cronômetro de cozinha, girando com um rápido *tique-tique-tique*.

— Isso é uma bomba? — perguntou Finn.

— É claro que é uma bomba. Mais ou menos, de certa forma.

Finn a espiou. Faltavam dez minutos no cronômetro.

Os arranhões continuaram atrás do aparelho. Finn não conseguia ver o que os estava causando. Ele se aproximou mais um pouco.

— Eu não entendo — disse.

— Você é mesmo muito criança, não é? — disse o Sr. Glad, voltando à sua tarefa.

— Por que você tentou me afogar?

— Você está esquecendo que eu o salvei, menino. Você me deve uma, na verdade.

— Eu quase morri — disse Finn.

— Eu estava bravo. Você me provocou, me atingiu. De qualquer forma, a coisa toda foi um erro. Você e seu pai deviam estar ocupados com o outro portal, como fizeram das outras vezes. Eu não tinha a intenção de matar você. Não naquele momento, de qualquer forma.

— Que tipo de bomba é essa? — perguntou Emmie, nervosa.

— Enfim alguém com um pouquinho de curiosidade.

Aparentemente revigorado, o Sr. Glad pegou a bomba e a examinou.

— É mais como o oposto de uma bomba, para ser preciso. Bombas destroem vidas. Quando a contagem do cronômetro acabar e o líquido se aquecer, o aparelho, como eu o reconfigurei com a ajuda desta bomba, vai... — ele fez um gesto para as prateleiras cheias de potes com Lendas dissecadas — ... vai *reanimá-los.*

Finn virou-se devagar, com o medo deslizando pela sua espinha. Ele e Emmie passaram os olhos pelas cascas de Lendas adormecidas, reunidas ao longo de muitos anos, guardadas uma depois da outra, do chão ao teto. Milhares delas.

Um exército inimaginável prestes a ser acordado.

As Lendas estão se erguendo. Finn sentiu as pernas ficarem ainda mais fracas.

O Sr. Glad se voltou para a invenção do pai de Finn e deu uma batidinha nela com a parte de trás da chave de fenda.

— Assim como o Dissecador pode ser usado para reanimar, isto pode fazer o mesmo. Mesmo princípio, apenas em uma escala maior. Foi pensado para encolher todo o Lado Infestado. Em vez disso, vai acordá-lo.

— Você está colaborando com as Lendas — disse Finn.

— Estou colaborando comigo mesmo, pela primeira vez na vida — disse o Sr. Glad, perdendo a compostura por um momento antes de recuperá-la, arremessando a chave de fenda que tinha na mão. — Elas apenas me ajudaram a garantir que, quando o seu pai construísse este aparelho, também trouxesse para esta sala a única coisa que poderia lhe fornecer energia.

Ele abriu o casaco para revelar os três cristais: o dedo do Hogboon, a cauda da Manticora e a presa do Wolpertinger. Ele tirou dois, abriu o compartimento da bateria e começou a ligar os fios.

— Não funcionou direito da última vez — lembrou Finn.

— É claro que não. Eu garanti isso.

Os barulhos de arranhões recomeçaram. Houve o que parecia um gemido.

O cronômetro rodava.

Na escrivaninha, o rádio estalou. O pai de Emmie falou, sem fôlego.

— Os ataques diminuíram — disse Steve.

Uma explosão de fogo do Dissecador se seguiu.

— Acho que o portal está enfraquecendo.

Silêncio de novo.

— Agora, menino, você nunca me pareceu ser do tipo heroico, mas não vou correr riscos. Afaste-se.

— Por que eu deveria fazer isso? — perguntou Finn.

— Por causa disto.

O Sr. Glad estendeu a mão para trás do aparelho e puxou a mãe de Finn até deixá-la à vista. Ela estava com os braços amarrados e sua boca estava vedada com fita. Seus olhos estavam arregalados de angústia. O instinto de Finn levou-o alguns passos na direção dela.

— Eu não avançaria mais — avisou o Sr. Glad, puxando uma pistola de cano largo de dentro do casaco e pressionando-a contra a têmpora da mãe de Finn. — Eu mesmo fiz esta. Ela vira os ossos do avesso. É bem impressionante, na verdade, embora seja um inferno para limpar depois.

Finn recuou. Ele não conseguia tirar os olhos da mãe e lutou contra cada impulso de correr em direção a ela.

— Você sabe quanto tempo eu levei para amarrar a sua mãe, garoto? — disse o Sr. Glad. — Ela tem bastante força para uma simples dentista. É de arrancar todos aqueles dentes, eu acho. Agora, afaste-se ou a cabeça da sua mãe vai virar uma bagunça maior que o seu quarto.

— Mas por que você está fazendo isso? — perguntou Finn.

— Isso *não* é da sua conta — disse o Sr. Glad, deixando a pergunta de lado com um gesto da mão. Mas, ele reconsiderou. — O que eu vou dizer é que estou fazendo isso em parte por sua causa. Aproveite essa dica, rapaz.

Finn não aproveitou aquela dica. Nem entendeu o que significava.

— Está quase na hora! — exclamou o Sr. Glad, animado.

Ele empurrou a mãe de Finn para o chão e, depois, revirou os bolsos do peito de novo.

— Hora de quê? — perguntou Emmie.

— Você é uma menina cheia de perguntas, não é? Deve deixar o seu pai bem maluco.

O Sr. Glad retirou o último cristal do casaco, atrapalhou-se com ele até sua palma segurá-lo com um aperto firme e, depois, ergueu-o até um pouco acima da altura do ombro.

— Eu gostei do nosso papinho. Gostei mesmo. Mas não quero demorar mais com isto.

Era como se o Sr. Glad estivesse tentando prender os cristais no ar ao lado dele. Ele os segurava na palma e os apertava para fora. Frustrado, recuou, olhou ao redor pela sala enquanto fazia algum cálculo silencioso e, depois, mudou sua posição em alguns passos para a direita.

Desta vez, quando ele puxou a palma para trás, o cristal ficou, de alguma forma, fixo no ar. O Sr. Glad afastou-se, antes de se lembrar de agarrar a mãe de Finn, que protestou enquanto ele a puxava consigo para trás.

Um sopro de vento chicoteou pela sala, carregando um urro grave e nada natural.

O Sr. Glad puxou a mãe de Finn, amarrada, ainda mais para trás conforme ela se esforçava para se empurrar contra o chão e acompanhar o passo dele.

— É melhor vocês saírem do caminho — gritou ele.

Neste momento, o ar se rasgou e um portal explodiu dentro da sala.

Finn caiu para trás, protegendo os olhos do brilho repentino.

O Sr. Glad abriu um largo sorriso, que se esticou de um lado da sua franja oleosa ao outro.

— Não é lindo? — berrou ele.

Nesse momento, Emmie então tirou a mão do botão do rádio na lateral do seu capacete, por meio do qual ela estivera transmitindo os últimos minutos da confissão do Sr. Glad.

54

O dia havia começado como todos os outros para o Sargento Doyle. A torradeira liberou o pão. A chaleira ferveu. O rádio de polícia estalou no modo de espera. Sua caixa de correio balançou com novas cartas que nunca eram as que ele queria.

Naquela manhã, sua correspondência consistia em: uma conta de luz, um panfleto do supermercado local, que colocou na cabeça dele a ideia de que deveria comer tiras de toucinho no jantar, e precisamente nenhuma carta da sede confirmando que ele ganhara a transferência para Qualquer Lugar Menos Darkmouth.

Ainda assim, como fazia em todas as manhãs, ele tomou o café enquanto fantasiava sobre a chegada dessa notícia. Imaginou o envelope. O endereço: "Sargento Alphonsus Doyle, Darkmouth". A marca-d'água oficial estampada no canto. Ele se imaginou desdobrando o papel bem branco para dar uma olhada na primeira linha.

"Prezado Sargento Doyle", ela diria, "temos o prazer de aceitar..." E ali ele iria parar, saborear o momento, beberICAR a sua xícara de chá, recompor-se antes de seguir em frente. "Temos o prazer de aceitar seu pedido de transferência de Darkmouth. Também ficamos contentes em informá-lo de que você deve seguir imediatamente para seu novo posto na ilha paradisíaca do Taiti."

Talvez a parte do Taiti fosse um exagero, mas era a sua fantasia e, sendo assim, ele tinha permissão para sonhar tão grande quanto quisesse.

De qualquer maneira, o dia havia começado com a costumeira ausência de tal carta, apenas o entendimento de que inevitavelmente seria um dia como qualquer outro. Ou, dada a frequência de incursões de Lendas nas últimas semanas, um dia como poucos outros. Ele não podia ter certeza se sua patrulha seria entediante ou desanimadora. De toda forma, não eram opções muito boas.

Os telefonemas com reclamações estavam chegando com mais regularidade do que nunca. Havia aqueles com uma queixa específica contra a família de Hugo: os McAnallys, que tinham perdido metade de um carro por causa daquele menino desastrado, o Finn; a Sra. Lacey, que derrubara as compras quando foi ameaçada por um monstro; metade da traineira de Jim Lacey sendo transformada em mingau de metal em um instante por aquele garoto de novo.

E, então, havia aquelas que simplesmente estavam cansadas.

— Por que isso ainda acontece? — perguntavam pelo telefone.

— O que pode ser feito a respeito disso? — perguntavam enquanto ele comprava o seu sanduíche para o almoço.

— O que você está fazendo para acabar com isso? — importunavam quando ele parava para amarrar os cadarços das botas.

Aquilo, ele decidiu, estava além do que ele recebia pelo seu trabalho.

O Sargento Doyle dirigiu pela cidade, visitando os moradores mais idosos e verificando os estabelecimentos comerciais. Ele cuidou de alguns documentos à tarde, embora a situação estivesse um pouco mais tranquila do que o normal. Vinte minutos depois das três da tarde, ele trancou a porta da delegacia e tirou um cochilo na sua mesa.

Quando era jovem e novo na polícia, o Sargento Doyle havia cultivado a ambição de virar detetive, de assumir um caso, desvendar as pistas, identificar o culpado depois de um belo momento de lógica, o cara mau confessar tudo sob a força dos grandes poderes de dedução de Doyle.

— Como você pôde adivinhar que era eu, Doyle? — perguntariam eles enquanto estivessem sendo levados algemados.

— Você quase conseguiu escapar, a não ser por um erro fatal... — ele explicaria com nobre triunfo.

Nada disso acontecera. O Sargento Doyle era um bom policial, mas não excelente. Mas bom era útil. Bom era aceitável. E bom era considerado bom o bastante para Darkmouth. Não havia motivo para mandarem um completo incompetente. Haviam feito isso uma vez antes e ainda estavam encontrando pedaços do homem um mês depois de tudo ter dado horrivelmente errado.

No entanto, também não havia motivo para mandarem alguém brilhante, porque o que estava acontecendo em Darkmouth não era um crime que precisasse ser solucionado.

Por isso, bom seria o bastante. E o Sargento Doyle era um bom homem, em todos os sentidos da palavra.

Assim como o dia havia começado como qualquer outro, a tarde repetiu o padrão das muitas outras que tinham se passado antes. Ele tirou o carro para uma patrulha final pela cidade, porém essa foi recebida pelo estrondo de um trovão e pela chuva caindo pesada e forte. Qual era a previsão? Ele devia ter verificado. O tempo diria que tipo de tempestade era na verdade.

Ele parou no mercado para pegar algumas tiras de toucinho e pegou também uma dúzia de salsichas, alguns ovos, um punhado de cogumelos e uma lata de feijão. Além de algumas batatinhas apimentadas para dar sorte.

Correu debaixo da chuva, jogou tudo no banco do passageiro do carro, soltou a gravata e estava prestes a virar a chave no contato quando ouviu um som que poderia, em geral, ser descrito como uma comoção.

O Sargento Doyle perguntou-se se ligar o carro faria com que ele não escutasse aquilo e lhe permitiria a desculpa da ignorância. Mas lá estava de novo, desta vez muito fácil de identificar como um tumulto.

O Sargento Doyle era um bom homem. Ele conhecia seu dever. Virou o carro na direção do problema e dirigiu rumo a ele, sabendo o provável destino.

Mesmo na tempestade, as pessoas estavam seguindo em direção à rua sem nome. Havia pelo menos umas duas centenas delas. Talvez mais.

Elas estavam gritando debaixo de seus capuzes, balançando seus guarda-chuvas como se fossem lanças. Era a cacofonia de uma cidade que, enfim, não aguentava mais.

O Sargento Doyle saiu do carro, fechou o zíper do seu casaco amarelo berrante e mergulhou nas suas profundas reservas de autoridade, enquanto dava passos largos até a frente da casa. Ele abriu caminho em meio à multidão até a porta da frente.

— Saia do caminho, Doyle — gritou um homem.

— Pessoal, vamos... — ele começou.

— Pare de protegê-los e comece a *nos* proteger — berrou uma mulher.

Ele ergueu as mãos para acalmá-los.

Em frente ao grupo estava uma mulher, segurando um guarda-chuva laranja acima do seu cabelo esculpido.

— Algo precisa ser feito em relação àqueles monstros ali dentro — ela anunciou, com a aprovação da multidão ao seu redor. — Eles estão destruindo esta cidade. Eles estão destruindo nosso sustento. Se você não vai fazer isso, então nós vamos.

— Ah, vamos, Mary, não vamos ser tão duros — disse o Sargento Doyle com a voz mais tranquilizante que ele conseguiu usar em meio à sua irritação. — É uma situação delicada para todos nós.

Um melão se espatifou contra uma janela à direita dele, fazendo escorrer purê de fruta e sementes pela manga do seu uniforme. Aquela mancha levaria anos para ser tirada.

— Certo — disse ele, bravo. — Já chega.

Houve outro levante na multidão, que já parecia ter o dobro de pessoas. Elas avançaram, subiram no pequeno muro de pedra, pisotearam o pequeno jardim, esmagaram flores. Empurraram o Sargento Doyle de lado e começaram a esmurrar a porta.

— Saiam do caminho — disse um homem especialmente grande, enquanto recuava e golpeava a porta com o ombro.

Com um resmungo alarmado, ele quicou e caiu de costas.

— Aqui, deixe que eu tento — disse outro homem.

A porta se curvou apenas um pouco sob a investida dele, ouviu-se o som de madeira se quebrando em volta da fechadura pelo lado de dentro. O homem correu de encontro a ela de novo e a porta se dobrou mais um pouco. Depois, um golpe final e ela abriu com violência, fazendo-o cair e deslizar no chão.

A multidão comemorou.

O Sargento Doyle suspirou.

Atrás deles, alguém gritou.

No fim da rua, estranhas criaturas parecidas com gatos aproximavam-se silenciosamente sob as luzes dos postes, espalhando-se para bloquear as rotas de fuga. Uma delas se ergueu e abriu suas asas de couro atarracadas. Depois, para surpresa das pessoas mais próximas, uma das criaturas falou:

— O que fica mais fácil de matar quanto maior for?

Um tanto alarmada e confusa por essa virada na situação, a multidão continuou parada. Enfim, um homem saiu do grupo e perguntou:

— Desculpe, você poderia nos dar outra pista?

As Manticoras atacaram.

55

Na Biblioteca, o cronômetro da bomba seguia o seu ritmo. Faltavam dois minutos.

O portal pulsou por um instante. Ele mandou uma pequena onda de choque pela sala, que correu pelo chão, levantando redemoinhos de poeira. Do espaço atrás das estantes de livros veio uma tossida: uma gagueira audível que ecoou pela sala abandonada.

Todos eles se viraram de repente na direção do som. Finn o reconheceu. Ele podia ver os olhos da mãe se arregalarem acima da fita grossa que prendia todo o comprimento da sua boca, e percebeu que ela também o reconhecera. O Sr. Glad a agarrou, puxou-a para deixá-la em pé e colocou a arma na sua têmpora.

— Hugo? — chamou ele.

Nenhuma resposta.

— Hugo, eu sei que você está atrás da prateleira — o Sr. Glad disse. Enquanto observava a estante pelo canto do olho, ele se dirigiu a Finn: — Eu estava aqui no dia em que construíram essa coisa, rapaz. Seu pai tinha visto isso em muitos filmes.

O único som era o barulho baixo do portal e o *tique-tique-tique* rápido do cronômetro. O Sr. Glad puxou a mãe de Finn para mais perto.

Finn sentiu a respiração abandoná-lo por um momento, depois a recuperou. A violência do Sr. Glad estava aumentando, seus punhos bem apertados revelavam a raiva que começava a ferver dentro dele.

O coração de Finn parecia ter dado um nó. Ele se sentia preso, encurralado. Olhou para Emmie, cujo rosto lhe dizia que ela estava muito fora da sua zona de conforto ali. Aquilo não era a aventura que ela esperara. Assim, Finn fez o que sempre quis fazer quando estava em apuros. Ele chamou o pai.

— Ele está com a mãe! — gritou Finn. — Ele vai machucá-la.

— Ele consegue ver isso, seu idiota — retrucou o Sr. Glad e, depois, se concentrou de novo na figura invisível por trás das estantes. — Não consegue, Hugo? Você está aí, como sempre esteve, para me lembrar onde é o meu lugar. Como todos os Caçadores de Lendas. Um número incontável deles está vivo graças a mim, mas, ainda assim, sempre sou eu quem tem que fazer o sacrifício. Eu dediquei minha vida toda a ser um faz-tudo.

O Sr. Glad levou a mãe de Finn mais para perto do portal.

— Mas você tem um prédio inteiro, uma rua inteira, uma cidade inteira para chamar de sua. Você tem a Clara e, se valer alguma coisa, esse menino idiota. O que eu tenho? Um certificado. *Um pedaço de papel.*

Saliva escorria pelo canto da boca do Sr. Glad; a arma agora tremia com seu aperto febril. Ele olhou para o cronômetro. Dois minutos. Com os olhos na mãe, Finn deu um passo para a frente, um passo pequeno, com cuidado para não fazer barulho com seu traje.

Finn deu uma olhada no cronômetro, que fazia *tique-tique*. Dois minutos.

— Certo, estou cansado de falar com uma parede. Saia, Hugo, e me mostre algum respeito. *Elas* me mostraram respeito — gritou ele, apontando sua arma para o portal.

A estante se abriu. Hugo emergiu do espaço escuro. O alívio inundou Finn. Seu pai estava ali. Tudo ficaria bem agora.

— O que quer que você precise — disse Hugo para o Sr. Glad —, podemos arranjar para você.

— Não, Hugo — disse o Sr. Glad, mais equilibrado agora, como se tivesse recuperado seu controle. — Sou o Reparador, lembra? Sou eu quem arranja as coisas. Sempre eu. Correndo. Indo buscar. Consiga isso para mim, Glad. Pegue isso para mim, Glad. Conserte isso, Glad. Bem, este é o conserto final. E, quando as Lendas me recompensarem, não será com um pedaço de papel para pendurar na parede.

O Sr. Glad continuou segurando a mãe de Finn e deu outro passo na direção do portal.

— Não! — gritou Finn.

— A Clara não tem nada a ver com isso, Glad — disse o pai de Finn com um tom de súplica na voz.

— Você está errado, Hugo. Sabe, nós acabamos com três cristais, mas dois foram o bastante para este aparelho. Isso me deixou com um cristal extra para escapar.

O Sr. Glad puxou a mãe de Finn para mais perto de novo, a luz do portal quase os lambia.

— Mas vejo agora que posso mandar algo bem mais valioso por aqui. Você sempre se comprometeu com esta cidade. Jurou protegê-la, defendê-la a qualquer custo. Mas, se tirarmos a armadura, e as armas, e o ego, sempre me perguntei quão longe você realmente estava pronto para ir, quanto você realmente está preparado para sacrificar.

O pai de Finn avançou só um pouquinho, a placa toda marcada do peitoral da sua armadura brilhando com a luz suave do portal. A dureza em sua voz cortou o ar entre eles.

— Farei o que for preciso.

O Sr. Glad encarou-o de volta.

— Veremos.

Ele empurrou a mãe de Finn para o centro do portal e a soltou. Os olhos dela se arregalaram e receberam o reflexo da luz. Ela lutou contra a força do empurrão, mas tropeçou, sem equilíbrio por estar com os braços e as pernas presos.

Finn avançou na sua direção, tentou agarrá-la, mas era tarde demais.

A luz a envolveu. Ela desapareceu por completo.

Hugo já havia reagido, cobrindo a distância que o separava do portal em poucos passos largos. Sem hesitar, ele pulou logo depois de Clara.

O portal engoliu os dois.

Desapareceram.

56

Finn ficou imóvel, abalado com o choque. Ele esperou os pais reemergirem. Com certeza eles voltariam tão rápido quanto haviam partido. No entanto, não havia nada além de uma ondulação se espalhando pela luz profundamente amarela do portal, como a de uma pedrinha ao cair na superfície de uma piscina.

Tique-tique-tique. O líquido azul do recipiente borbulhou.

Faltavam trinta segundos no cronômetro.

— Bem — disse o Sr. Glad, explodindo em um sorriso maldoso e satisfeito, com os braços e a arma pendurados ao lado do corpo. — Não foi interessante?

A raiva de Finn o impulsionou na direção do Sr. Glad. No meio segundo que ele levou para reagir, sua mente passou depressa pelas noites de treinamento, as horas eternas de repetição, as dezenas de possíveis movimentos, tudo guardado ali para ser usado no momento exato em que ele precisasse. Este momento.

Depois, ele simplesmente se jogou contra a barriga do Sr. Glad, atingindo-o com força e o mandando na direção do portal.

Com uma perna já fora de vista no portal brilhante, o Sr. Glad conseguiu recuperar o equilíbrio. Ele se estabilizou e parou, um pé em cada mundo, enquanto olhava feio para Finn.

— Isso não foi muito inteligente, foi?

Finn viu a mudança no portal antes do Sr. Glad.

Ele tremeu, oscilou.

Seu brilho ficou mais profundo.

Ele desmoronou, suas mandíbulas mordendo o Sr. Glad, que caiu, soltando a arma, e se debateu e lutou até estar na horizontal, a metade inferior do corpo perdida em um anel de luz faminta.

O Sr. Glad gritou.

Em volta dele, o portal pulsou, mastigou, comprimiu-se, tentando fechar, mas bloqueado pelo corpo que se debatia em sua boca. O Sr. Glad esticou o braço em uma procura inútil por algo em que se segurar. A luz começou a inundar seu corpo, saindo por seu nariz, suas orelhas, seus olhos.

No chão, o líquido do recipiente começou a ferver. O timer fez *ting*.

Depois, algo surpreendente aconteceu. O Sr. Glad parou de lutar contra o seu destino. Em vez disso, olhou nos olhos de Finn, deu um sorriso e olhou para o próprio pulso. Finn e Emmie seguiram o olhar dele e viram um gatilho sair da sua manga. O Sr. Glad o apertou.

Ao fazer isso, a pressão do portal finalmente o dominou, convulsionando-o conforme o brilho jorrava pelo seu corpo e o explodia em um milhão de pontos de luz faiscantes.

A bomba despertou, sua carapaça metálica virava-se enquanto o recipiente de líquido azul borbulhante se erguia no centro.

E, depois, nada.

Do lado de fora, na rua, Finn podia ouvir gritos, o pânico da multidão sob ataque. Mas, do lado de dentro, havia silêncio de novo.

— Talvez não esteja funcionando — disse Emmie.

A bomba explodiu.

57

A explosão deixou a sala azul antes de enfraquecer e virar uma névoa fina que flutuou pela Biblioteca e se depositou devagar no chão, nas prateleiras e em Finn e Emmie.

Eles se sentaram no mesmo lugar onde haviam se abaixado, cobertos de azul, cuspindo líquido quente da boca e com as mãos deslizando no chão agora úmido.

Em um dos potes, no canto de uma prateleira alta na parede, uma bola dissecada chacoalhou. O mesmo aconteceu com um pote mais abaixo. Depois outro. As prateleiras começaram a balançar com o estrépito de potes de vidro se agitando conforme o movimento se espalhava de prateleira a prateleira, de pote a pote.

— Isso não é bom — disse Emmie.

Finn abriu a boca para responder. Não saiu nada além de saliva azul.

A Biblioteca estava muito barulhenta com o despertar das Lendas, a iminente marcha de um exército invasor sendo acordado do coma.

Finn pulou para ficar de pé, escorregou no chão molhado, mas se equilibrou de novo enquanto corria na direção do aparelho.

Ao seu redor, os potes começaram a cair do alto, quebrando-se no chão, onde as esferas dissecadas rolavam livres, os últimos espasmos antes da reanimação.

Finn parou ao lado do aparelho e examinou a tela de computador cheia de linhas que ele não entendia. Algo muito importante de repente passou pela sua cabeça.

— Eu não sei o que estou fazendo! — gritou ele para Emmie.

Ela deslizou até ele, gritando acima do barulho.

— Faça o que parecer certo!

Em meio a uma chuva de vidros quebrados, as bolas começaram a crescer e berrar, um coro de uivos de Lendas sendo reanimadas.

Finn pensou na mãe e no pai, em algum lugar do outro lado do ar, a um mundo de distância. Ele ouviu o caos do lado de fora, na rua, uma cidade em tumulto.

O aparelho tinha bilhetinhos amarelos colados em cada ponta do grande interruptor de luz. Um tinha um D rabiscado, o outro, um R. O interruptor estava na posição R. O pai gostava de simplicidade, Finn lembrou a si mesmo. Mesmo na bagunça. As anotações tinham de significar *dissecar* e *reanimar*. Tinham. Caso contrário, estavam todos prestes a morrer.

Ele o apertou para a posição D. Finn percebeu que, se a máquina poderia reanimar todas aquelas Lendas, também seria capaz de dissecá-las, como o seu pai pretendia.

Talvez.

O botão de girar estava a um terço do caminho para cima. Finn hesitou diante dele, mas o barulho de algo grande caindo do alto incentivou-o a ligá-lo no máximo.

Seu dedo pairou sobre o grande botão vermelho, e as coisas horríveis que poderiam acontecer passaram depressa pela sua cabeça.

Ele poderia destruir a casa.

Ele poderia acelerar o despertar das Lendas. Que iriam destruir a casa.

Ele poderia dissecar Emmie.

Ele podia *se* dissecar.

— E se eu dissecar a cidade inteira? — gritou ele para Emmie, com seu coração batendo forte, sua mão tremendo de incerteza sobre o botão, a enormidade da decisão começando a esmagá-lo, a estreitar sua visão.

Ele sempre podia sair correndo, pensou.

— Apenas faça — berrou Emmie. — Todos nós, de qualquer maneira, vamos morrer em um minuto.

Finn apertou o botão com força.

Um barulho de explosão correu pelo ar. Uma onda de choque rasgou a Biblioteca, derrubando Finn e Emmie no chão conforme a explosão atravessava as paredes e varria toda a rua do lado de fora.

Tudo estava silencioso. Finn se cutucou para ter certeza de que seu corpo ainda estava inteiro e em forma de humano. Ele olhou para Emmie e viu que ela também estava ali, depois ergueu a cabeça e viu que o chão estava calmo. As Lendas eram esferas: encolhidas, duras, imóveis.

— Você conseguiu, Finn! — exclamou Emmie, dando um soco no ar.

No chão em frente a eles, uma única bola dura torceu-se um pouco. Ela balançou para a frente. Pulou um pouco, começou a se expandir com um berro gutural cada vez mais alto.

Finn pegou do chão a arma que o Sr. Glad havia abandonado.

— É melhor irmos embora — sugeriu ele.

Emmie já tinha ido.

58

A onda avançou rapidamente através das ruas, cruzando a cidade. À medida que atingia cada uma das Manticoras que haviam invadido Darkmouth, estas congelavam no lugar onde estavam, em pleno ataque, em plena perseguição, em pleno enigma, depois eram implodidas uma por uma, encolhidas até se tornarem pequenas esferas.

Uooop.

Uooop.

Uooop.

A explosão se expandiu, ondulando o pavimento, rolando pelos portais que estavam abertos e fechando-os. Ela estava bem atrás deles, então foi enfraquecendo, falhando, até se dissipar completamente, perto dos limites de Darkmouth.

Em uma dessas ruas, o pai de Emmie parou, respirando com dificuldade, cercado por um tapete de Manticoras dissecadas.

E, embora o fato tenha passado despercebido para a população de Darkmouth, todos os peixinhos dourados em um raio de um quilômetro haviam desaparecido de seus aquários.

Na rua, perto da casa de Finn, pessoas emergiam de trás de muros e carros, levantavam-se do concreto, mancavam em busca de ajuda e cuidavam dos feridos.

O Sargento Doyle estava parado no centro da rua, arfando bastante, com um cassetete em uma mão e uma pequena lata de spray de pimenta na outra, alerta para qualquer novo caos. Ele pensou que devia haver um psicopata em algum lugar que precisasse de escolta; uma gangue perigosa que precisasse de alguém infiltrado. *Qualquer coisa* para sair deste lugar.

Aqueles que conseguiam caminharam de novo em direção à casa, pegando pedras, sapatos que tinham sido abandonados durante o pânico, qualquer coisa que pudessem encontrar. Um homem pegou uma Manticora dissecada, pesou-a na mão e achou que daria um excelente projétil. Ele ergueu o braço para arremessá-la.

Da casa, saiu um barulho parecido com um rugido.

A multidão ficou muda.

Soou de dentro do lugar o ruído de algo sendo triturado.

A multidão avançou um pouco para escutar melhor.

Houve outro rugido. Mais perto desta vez.

Como havia se escondido lá durante o ataque das Manticoras, o homem que quebrara a porta no começo reapareceu, cambaleando para trás, pulando porta afora. Ele se virou e abriu caminho, cambaleando pela multidão.

Depois de observá-lo correr a rua toda e virar a esquina, a atenção da multidão voltou-se de novo para a casa. Do lado de dentro veio uma rosnada de revirar o estômago.

Finn e Emmie saíram correndo pela porta.

Eles pararam diante do muro de pessoas que se derramavam do jardim até a rua. Finn balançou para elas uma pistola de cilindro avantajado, que ele pegara do chão onde o Sr. Glad havia desaparecido.

— Corram! — gritou Finn para eles, mas nem mesmo a arma parecia chocar a multidão e tirá-la do seu espantado estupor. — Agora!

Ele agarrou o pulso de Emmie e puxou-a pela multidão.

— Esse é o menino! — berrou alguém.

— Peguem-no! — ordenou outro.

— Pegue você. Para mim, já chega — insistiu outra pessoa.

Veio outro grande rugido do lado de dentro. Uma sombra passou por trás da porta. Uma sombra muito grande. E então um Minotauro apareceu, inclinando-se para passar pela moldura da porta, esticando-se à luz bruxuleante em frente à casa. Ele se ergueu até sua altura total. Mais uma vez, a multidão gritou, berrou, entrou em pânico, agitou-se, fugiu em todas as direções, uma pessoa caindo sobre outra, escalando em busca de uma rota de fuga.

Finn e Emmie estavam fugindo depressa quando ela tropeçou. Finn estava tentando ajudá-la a ficar de pé de novo, colocando o braço dela em volta do seu ombro, implorando para ela se levantar. Por toda parte ao redor deles, havia um pandemônio.

— Vamos, Emmie! — gritou Finn. — Por favor!

Conforme o Minotauro chegava mais perto, Finn apontou a pistola, encontrou o seu fino gatilho e mirou bem na Lenda, dizendo a si mesmo *você não pode errar, você não pode errar, você não pode errar*.

Assim que Finn apertou o gatilho, um morador local se chocou contra ele enquanto debandava em pânico, tentando se salvar. Finn errou o alvo e voou para trás com o tranco do disparo; uma bolha vermelha atingiu uma árvore e a sugou pelo avesso, expondo o interior claro e esmigalhado, onde havia antes uma casca escura. A moradora da cidade que estava ao lado dela foi, por um breve momento, a mulher mais sortuda de Darkmouth.

Finn estava caído e sem fôlego, apertando o gatilho inutilmente. É óbvio que o Sr. Glad não a projetara para mais do que um tiro.

O Minotauro se moveu na direção dele, passando a centímetros do Sargento Doyle. Finn viu o policial procurar em seu cinto algo para pará-lo. Era como se ele pudesse ver exatamente o que se passava na mente do Sargento Doyle: seu cassetete seria inútil; um esguicho de spray de pimenta mal chegaria ao peito da criatura, muito menos aos seus olhos...

Doyle correu para o carro, sentindo o peso da sua barriga, o fogo crescendo em seus pulmões a cada passo. Ele chegou ao veículo, abriu o porta-malas e começou a procurar algo lá dentro.

Conforme a criatura se aproximava a passos largos, Finn procurou outra coisa que pudesse ser útil como arma, tirou o capacete e o jogou contra o gigante. Em um movimento patético, ele quicou na pele da Lenda e caiu na rua.

Com vapor sendo bombeado das suas narinas, cada olho um poço profundo e impiedoso, o Minotauro o alcançou.

— Ei, caroção, aqui!

Finn olhou em volta da perna grossa da Lenda e viu o Sargento Doyle balançando seu casaco amarelo refletivo acima da cabeça.

— Vamos. Escolha alguém do seu tamanho!

A criatura ignorou o Sargento Doyle e voltou a atenção para Finn, fixando seus olhos desoladores nele, grandes rosnados de raiva por cima dos dentes estragados.

Finn engoliu em seco.

Depois, houve um *pop* e um *fizz* quando uma luz ofuscante se queimou na pele da Lenda. O Minotauro urrou de dor conforme a luz branca desaparecia, revelando o Sargento Doyle mirando uma pistola sinalizadora.

O Minotauro se afastou de Finn e Emmie e foi na direção da sua nova ameaça. O Sargento Doyle recuou e fugiu para a segurança do seu carro. A Lenda agarrou a parte de baixo do veículo e o jogou para fora da rua, onde ele deu um pequeno giro sobre a sirene e tombou indefeso para o lado.

Doyle correu em direção ao muro em frente à casa de Finn, meio que caindo de cima dele para o jardim. Ergueu a cabeça e viu a criatura vindo na sua direção, sacudida pelas vibrações de cada passo pesado. As mãos do Sargento Doyle estremeceram enquanto ele recarregava a pistola sinalizadora. *Espere*, ordenou ele a si mesmo. *Espere*.

O Minotauro apareceu por cima do muro. Primeiro os chifres ficaram visíveis sob a luz da rua, seguidos pelas narinas profundas e molhadas, as presas lascadas brotando de uma boca aberta e espumante.

O Sargento Doyle apertou o gatilho.

O sinalizador não teve tempo de se acender antes de ser disparado garganta adentro do Minotauro. A Lenda o engoliu, balançou a cabeça e arrotou. De dentro da sua goela veio o chiado abafado de combustão. Uma explosão de fósforo branco brilhou pelas orelhas, pelo nariz e pela boca da criatura.

Ela cambaleou para trás e o Sargento Doyle correu em direção à casa. Ao chegar à porta, ele teve uma sensação muito estranha, uma dormência pelo peito. Era esquisito para ele suas pernas se moverem e, ainda assim, ele não sair do lugar.

Ele abaixou a cabeça e viu uma enorme garra que perfurava suas costelas. A Lenda a tirou e o mundo do Sargento Doyle caiu de lado.

Caído no degrau da frente, a bochecha apertada contra o chão de concreto, o Sargento Doyle observou a Lenda voltar em silêncio na direção das crianças. Mas Finn e Emmie tinham ido embora. O Sargento Doyle tinha ganhado algum tempo para eles, pelo menos. A Lenda passou os olhos pela área à procura dos dois, antes de seguir para a ponta mais distante da rua.

Em frente à casa de Finn, o Sargento Doyle ergueu-se contra a moldura da porta e examinou o buraco no seu uniforme. Uma marca escura estava se espalhando pela camisa e pelo casaco. Sua respiração ficou mais rasa. Seus olhos, pesados.

Ele pensou na mancha que nunca sairia.

Ele pensou no Taiti.

59

Virando a esquina em fuga, Finn e Emmie colidiram com duas bicicletas, e quatro corpos atingiram o chão em uma pilha de braços, pernas e metal.

— Cuidado, menino-monstro — queixou Conn Savage, levantando-se, enquanto Manus tentava se desenroscar da sua bicicleta.

Finn empurrou o corpo pesado de Conn para trás e, depois, ergueu uma das bicicletas e a entregou a Emmie.

— Suba.

Enquanto Manus se esforçava para ficar de pé, Finn pegou a bicicleta dele também.

— O que você está fazendo? — Manus quis saber. — Me devolva isso agora mesmo ou nem a sua namorada vai conseguir evitar que eu acabe com você.

— Precisamos da sua bicicleta — rosnou Finn. — E você precisa correr. Agora.

— Você não é exatamente assustador usando essa fantasia.

— Não é de mim que você deve ter medo.

Finn subiu nos pedais e partiu. Emmie o seguiu.

Houve um baque que estremeceu o chão. Lentamente, Manus e Conn se viraram para olhar para trás.

Uma longa sombra caiu sobre os gêmeos conforme o Minotauro obscurecia a luz da rua. Manus agarrou Conn e o tirou do caminho bem a tempo de evitar que ele fosse esmagado.

Finn guiou Emmie pelo labirinto de vielas até o coração de Darkmouth.

— Temos que nos livrar dele — gritou ele para ela.

Eles verificavam o caminho olhando por cima dos ombros, ficavam em pé nos pedais para espiar por cima dos muros, tentando não perder a Lenda de vista.

Eles viram o Minotauro seguindo a passos largos por uma ruela paralela ao mesmo tempo em que a Lenda os viu. Finn e Emmie viraram de repente para uma rua secundária. A Lenda atravessou por um jardim e derrubou um muro, um varal cheio de roupas saiu enrolado em volta de uma das coxas.

Finn freou, derrapou, manobrando pelo labirinto de vielas, enquanto Emmie se esforçava para acompanhá-lo. Eles precisavam escapar; ele só não sabia para onde ir. Ele torceu mais uma vez para seu pai aparecer com um plano, para sua mãe voltar e calmamente... Sua mãe. Era isso.

O Minotauro apareceu de novo, bloqueando o caminho deles. Finn fez uma curva com a bicicleta.

— Tenho uma ideia — gritou ele ao passar depressa por Emmie. — O trabalho da minha mãe.

Ela virou rapidamente para acompanhá-lo. O Minotauro os seguiu, parando apenas para arrancar um hidrante do chão e jogá-lo na direção deles. Ele bateu no meio-fio e saiu quicando, quase acertando a roda da frente da bicicleta de Emmie. Ela bamboleou, mas conseguiu manter o equilíbrio.

Eles chegaram a toda a velocidade à Rua Quebrada, saltando das bicicletas para o consultório dentário da mãe de Finn.

— E agora? — perguntou Emmie.

Eles tiveram a resposta quando uma caixa de correio passou pela orelha de Finn e fez um buraco atravessando a porta da frente. O alarme do consultório respondeu martelando um dueto ensurdecedor de sino e sirene.

Tropeçando pela porta e para dentro do corredor, Finn procurou a sala da mãe, finalmente encontrando-a bem quando ouviu o estrondo de um punho gigante esmagando vidro na frente do prédio.

Emmie gritou para o seu rádio.

— Pai. No dentista. Agora.

Na sala escura, um Finn bastante preocupado tateou as paredes até encontrar o gancho onde a mãe pendurava as chaves. Ele se ajoelhou para encontrar a fechadura. Houve outro barulho do lado de fora. Ele disse a si mesmo para ficar calmo. Para respirar fundo. Para se concentrar. Mas não conseguiu fazer isso. As mãos dele chacoalhavam. E tremiam. Com as luvas do traje de luta, ficavam atrapalhadas para manipular a chave. A mais pura sorte fez a chave deslizar para dentro da fechadura. Ela virou com um *clique* bem-vindo.

Finn agarrou o que ele esperava serem duas garrafas de anestésico e entregou uma para Emmie.

— O que vamos fazer com isso? — perguntou ela.

Um pequeno terremoto balançou a sala, equipamentos caíram dos carrinhos enquanto o Minotauro esmurrava a frente do prédio.

— Abatê-lo, espero. — disse Finn. — Mas acho que não tem seringas grandes o bastante — acrescentou ele, abandonando sua busca pelas gavetas e pelos armários.

Mais golpes chacoalharam o prédio. Finn correu de volta pelo consultório, com seus olhos se acostumando com o escuro. Através da janela, ele conseguia ver a silhueta da criatura na rua, esmurrando o prédio. A janela da frente havia cedido. Todos os seus instintos diziam que Finn deveria correr para longe, muito longe. Mas ele não iria fazer isso.

Ele iria fazer o contrário, na verdade.

Ele iria correr *na direção do* Minotauro.

Finn respirou bem fundo e depois foi em frente, pulou em uma cadeira, saltou pela janela e cambaleou na calçada.

Ao ver Finn, o Minotauro urrou com tal ferocidade que disparou uma fileira de alarmes de carros. Finn ficou de frente para o gigante. Puxou o ar.

Soltou o ar. Assim que a Lenda enfiou um pé cheio de garras no concreto e deu o bote, Finn correu direto na sua direção, sentindo como se o mundo estivesse avançando em câmera lenta.

No último momento, ele deslizou entre as pernas do Minotauro, girou e reapareceu atrás dele.

Quando o Minotauro deu uma guinada na direção de Finn, ele deu um passo largo até o capô de um carro, um segundo para o teto e pulou alto na direção do Minotauro. Enquanto estava no ar, ele jogou a garrafa de anestésico na boca aberta da Lenda.

E errou.

60

A garrafa de anestésico quicou nos lábios gordos e cheios de bolhas do gigante e se estilhaçou no chão. Finn caiu no asfalto, com a dor disparando pela sua perna, e agarrou o chão duro tentando escapar.

A Lenda agigantou-se acima dele, os aglomerados de pústulas da sua pele pareciam a superfície de um planeta hostil, seu hálito quente bagunçando os cabelos já rígidos de medo. Finn conseguia ver seu rosto refletido nas piscinas negras das pupilas do Minotauro; uma visão do quão frágil ele era.

Ele queria o pai tão desesperadamente; ansiava para que ele viesse resgatá-lo de novo. Calmamente ele iria explodir e dissecar aquela coisa e ainda sair com um comentário engraçadinho.

Isso não iria acontecer desta vez.

O Minotauro inclinou-se para trás, os punhos apertados, seu urro em coro com o trovão que ressoava acima. Finn se preparou. Fechou os olhos. Tensionou-se para o impacto.

Que não veio.

Ele abriu os olhos e viu o gigante segurando a parte de trás do pescoço, procurando em volta dos ombros. Agarrado a ele, correndo pela sua cabeça e seus ombros enquanto fugia das garras do gigante, estava o Hogboon, Broonie.

— Criança fêmea! — gritou Broonie para Emmie. — Dê o recipiente para mim.

Emmie se equilibrou e jogou a garrafa para o Hogboon. Com malabarismos, ele conseguiu pegá-la e a derrubou pela goela do Minotauro.

A Lenda agarrou a própria garganta. Balançou a cabeça e, depois, deu outro passo na direção de Finn.

— Espero que não seja apenas água — disse Broonie para Emmie.

— Eu também — respondeu ela.

O gigante parou, balançou a cabeça de novo, deu outro passo. Seus joelhos se dobraram um pouco, mas ele se recompôs e se agigantou para cima de Finn, que estava agachado e com as mãos no chão, tentando se levantar apesar da dor que atravessava o seu joelho. Um gorgolejo profundo correu pela vasta extensão das entranhas do Minotauro conforme ele caía por cima de Finn, o rosto apertado contra o muro.

A van de Steve surgiu cantando pneu no começo da rua e acelerou na direção deles enquanto Emmie corria para puxar Finn de baixo do Minotauro caído.

A van de Steve freou derrapando e ele pulou de dentro dela. Ao ver o Hogboon, ele ergueu a arma.

— Não, pai — disse Emmie, entrando na frente dele. — O Finn está vivo por causa dele.

Ela riu um pouco de descrença e alívio. O pai a puxou para perto e a abraçou, manchando o traje de luta dela com sangue úmido.

Finn já estava de pé, o choque percorrendo seu corpo, um tremor se espalhando por seu peito. Ele se sentia frio, sozinho.

— Eu não tinha que fazer aquilo, sabia? — disse Broonie.

— Como você sobreviveu à onda do Dissecador? — perguntou Finn, uma tremedeira passando pelos seus dentes.

— O Dissecador o quê? Broonie quis saber.

— Houve uma... uma espécie de bomba, que encolheu todas as Lendas. Bem, quase todas. Eu a desativei — respondeu Finn.

— Eu não sei — disse Broonie. — Eu corri. Você me mandou correr e eu obedeci. Quase consegui sair da cidade.

— Você devia estar fora de alcance — comentou Emmie. — Mas por que você voltou?

— De um lugar alto, consegui ver o Minotauro. E vi quem ele estava perseguindo. Já conheci Minotauros. Você não iria querer ser perseguido por um Minotauro. Além disso, eu estava em dívida com o menino. Um Hogboon sempre paga suas dívidas. Na maior parte das vezes. Se Gantrua sonhasse que eu fiz isso, iria me esfolar com um daqueles dentes que ele coleciona.

— Pensei que eu tivesse morrido… — disse Finn, tremendo.

— Essa é a sua forma de me agradecer? Não esqueça que, desde que eu cheguei aqui, bateram em mim, levei um tiro, fui congelado, eletrocutado…

— Eletrocutado? — perguntou Emmie.

— Nem pergunte.

— Obrigado — disse Finn. Ele olhou para Emmie. — Obrigado a vocês dois.

— De nada — respondeu Broonie, e então apontou para o Dissecador. — De qualquer maneira, se eu fosse você, eu faria seu truquezinho de mágica naquele Minotauro e me preocuparia com os detalhes depois. O que quer que ele tenha acabado de engolir provavelmente não será potente o bastante para ele ficar quieto por muito tempo.

O pai de Emmie ergueu o Dissecador, mas, antes de apertar o gatilho, mudou de ideia e o entregou para a filha.

— É a sua vez de tentar — disse ele.

Ela o pegou com disposição, mas hesitou em atirar.

— Parece meio cruel fazer isso quando ele está só deitado…

O gigante deu um rosnado nervoso e voltou à vida.

Emmie apertou o gatilho.

61

Foi Emmie a primeira a notar a poeira fazendo redemoinhos na brisa, um brilho fraco refletindo a iluminação dos postes de rua. Ela se depositou em uma camada fina sobre os carros, os alarmes ainda gritando. Caiu com delicadeza sobre os tijolos quebrados em frente ao consultório de dentista. Com o pé, Emmie rolou o Minotauro dissecado e ele traçou um pequeno caminho pela calçada levemente empoeirada.

Broonie levantou o dedo para pegar um pouco da poeira, lambeu-a e cuspiu-a.

— Tem gosto de casa — contou.

Finn ficou em pé, os ombros caídos, as mãos abandonadas ao lado do corpo, sentindo-se completamente perdido. O céu se fechara de novo. Os portais haviam sumido e os pais dele estavam perdidos em algum lugar naquele terrível além.

— Venha com a gente, filho — disse o pai de Emmie.

Finn ficou onde estava, resistindo ao leve puxão de Steve em seu ombro. Pegou o telefone debaixo do traje de luta, discou o número da mãe e esperou, sem convicção, que a chamada se completasse.

A voz de uma estranha lhe disse: "*Este número não está disponível no momento…*".

Emmie deu um passo para a frente.

— Finn…

Pela primeira vez, as palavras que costumavam jorrar haviam secado. Ela simplesmente estendeu a mão, apertou o pulso dele e não soltou.

Broonie pulou ao redor, ansioso.

— Vamos ficar parados aqui por muito mais tempo? Estou muito longe de casa, sabe? Talvez alguém pudesse reconhecer isso.

Steve pegou o Dissecador de Emmie e o balançou sem entusiasmo para Broonie, que no mesmo instante se encolheu.

— Eu posso ter sentido compaixão por esses humanos jovens — murmurou Broonie —, mas vocês merecem ser dados como comida para as larvas da morte.

O pai de Emmie pegou a Lenda dissecada e voltou para a van. Emmie puxou um pouco o pulso de Finn, incentivando-o a segui-la, e ele se arrastou devagar na direção do veículo, parando rapidamente para acenar com a cabeça para Broonie.

O Hogboon olhou ao redor e, depois de pesar suas opções, seguiu-os.

Eles chegaram à van. Emmie estendeu a mão para abrir a porta. Finn parou.

— Eles se foram. Minha mãe e meu pai estão presos no Lado Infestado, e não há nada que eu possa fazer a respeito.

Ao seu lado, Broonie agachou-se no degrau.

— Você não é o único que perdeu tudo, sabia? Sem um cristal eu não tenho como voltar para casa. Tenho um saco de besouros para alimentar.

Ele pulou para dentro da van.

— O que você disse? — perguntou Finn.

— Eu disse que tenho besouros para alimentar. Eles vão começar a comer uns aos outros e, aí, estarei acabado.

— Não isso. A outra coisa. Sobre o cristal.

— Bem, a menos que você tenha um sobrando, estou preso aqui sem um cristal.

Finn pulou para a traseira do veículo, bateu a porta e mandou Steve levá-lo para casa o mais rápido possível. A van saiu cantando pneu, Broonie protestando com os mais veementes termos enquanto era jogado de um lado para o outro na parte de trás.

62

Broonie se esticou o mais alto que pôde. O cristal que Finn encontrara depois do primeiro ataque do Minotauro não estava mais na sua gaveta de cuecas: estava na mão estendida de Broonie, e o Hogboon estava bem no meio da Biblioteca. A pequena Lenda moveu o cristal para lá e para cá, tentando encontrar uma protuberância no ar.

— Tem certeza de que sabe fazer isso? — perguntou Finn, com o máximo de educação que pôde.

— Não me insulte — disparou Broonie. — É claro que sei. Mas não é apenas questão de levantar e soltar o cristal. Precisa ter paciência, *finesse*, e, se você pudesse me passar aquela cadeira, seria uma grande ajuda também.

Finn obedeceu, e Broonie subiu na cadeira de escritório, quase perdendo o equilíbrio quando ela girou em um círculo completo.

— É sério — disse ele, bravo. — Este lugar…

Broonie retomou a caçada pela protuberância no ar.

— Vocês todos ficarem me olhando enquanto eu tento também não ajuda muito — reclamou ele.

Finn, Emmie e seu pai continuaram olhando.

O Hogboon soltou um palavrão baixinho e, depois, ficou em silêncio enquanto parecia encontrar o que estava procurando. Ele desenrolou os dedos devagar do cristal e desceu da cadeira. O cristal ficou onde estava, por incrível que pareça, firmemente preso ao ar.

— É melhor vocês se afastarem — disse ele, indo para longe do cristal. — Às vezes eles esfrangalham os pelos da orelha. Eu conheço um cara que uma vez perdeu todo o…

O portal explodiu no espaço, fazendo todos cambalearem para trás. Broonie caiu sentado. Finn caiu sobre Emmie, que o pegou e o segurou por um momento enquanto ele se endireitava. Ele tentou não parecer muito envergonhado com isso, mas falhou por completo.

Eles se agruparam perto da luz fluida do estreito portal, examinaram a chuva de faíscas dançando nos seus cantos.

— Tem certeza de que minha mãe e meu pai vão estar lá? — perguntou Finn.

— Todas as partes do Lado Infestado estão ligadas a uma parte específica do Mundo Prometido — respondeu Broonie. — Se eles atravessaram por aqui, ainda vão estar lá. Se é que vocês me entendem.

Ele não tinha certeza de que eles entendiam o que queria dizer, então continuou:

— Imaginem que um mundo esteja em cima do outro. Um portal aberto nesta sala sempre levará vocês ao mesmo lugar no Lado Infestado. Um portal aberto no outro lado da cidade vai levar vocês a Gantrua, pelo que eu sei.

— Então devemos esperar? — perguntou Finn.

— Devemos esperar — confirmou Broonie.

Eles esperaram. Ninguém saiu do portal.

— É melhor que você não esteja mentindo — disse Steve por entre os dentes cerrados.

— Certo, meu tempo aqui acabou — disse Broonie, indignado. — *Este era* para ser o Mundo Prometido. Não vale a pena perder um dedo por ele, se quer minha opinião.

Ele caminhou em direção ao portal.

— Espere — disse Finn.

— Eu abri a porta — disse Broonie. — Não é minha culpa se ninguém atravessar. Não vou esperar o portal se fechar.

— Quero ir com você — declarou Finn.

— Para lá? — perguntou Broonie. — Acho que não quer, não.

— Você não vai — disse Steve.

— Meus pais estão lá. Eu vou buscar os dois.

— Esse portal vai se fechar logo — avisou Steve.

— Então preciso fazer isso agora.

Finn deu um passo para o portal, sua aura produzindo arrepios que ele podia sentir por baixo do traje de luta. Depois, ele parou, de repente percebendo o que estava prestes a fazer. Seu pai não hesitara em pular ali, ele disse a si mesmo. Ele também não deveria hesitar. Era hora de virar o Caçador de Lendas que esperavam que ele fosse.

Ele apenas não queria fazer isso sozinho.

— Seria bom ter alguma ajuda — disse.

Emmie deu um pulo para a frente.

— Então conte comigo também — disse.

Seu pai colocou uma mão no seu ombro e a fez parar.

— Ele não está falando de você, Emmie.

— Não posso deixar o Finn fazer isso sozinho, pai.

— Ele não vai fazer sozinho. Você fique aqui e, se não ficar, vou colocar seu traje de luta no triturador de papel. Isso não é brincadeira para nenhum de vocês. E, Finn, antes de entrarmos aí, aqui estão as regras: se não virmos seus pais, saímos. Se eu disser para sairmos, saímos. Se eu sair, nós dois saímos. Se eu for morto, nunca vou deixar que você esqueça.

Steve ergueu o Dissecador e se aproximou do portal, onde Finn estava, e, pela segunda vez, colocou a mão dentro da luz, deixou-a se aglomerar em volta do pulso, como alguém que verifica a temperatura do mar antes de mergulhar.

— E quanto à profecia? — perguntou Emmie.

Finn puxou a mão do portal, que permanecia vívido e forte por enquanto.

Sua morte no Lado Infestado. Finn se esquecera, aquelas linhas haviam ficado enterradas sob o choque de perder os pais e a necessidade de trazê-los de volta. Mas ele sentiu de novo o peso total da profecia, encarou o portal, dourado e convidativo, porém ele sabia que era uma torrente pronta para levá-lo embora.

— Até logo, Emmie — disse ele.

— Certo, chega de conversa. O tempo está acabando — suplicou Broonie, uma cadência de pânico na voz.

Ele passou desajeitado entre Finn e Steve, entrou no portal e logo foi devorado pela luz.

— Um pouco de espionagem, eles me disseram — murmurou Steve. — Nada perigoso, me falaram.

Ele abaixou e pisou corajosamente na luz.

Finn ergueu o queixo, segurou a respiração e o seguiu.

63

Por um momento, Finn não foi nada mais do que luz.

64

Então Finn experimentou uma sensação parecida com um leve abalo entre acordar e dormir, como os últimos resquícios de um sonho. Era ter sua consciência embaralhada por um nanomomento e colocada de volta no lugar quase do jeito certo.

Era emocionante.

Finn chegou ao Lado Infestado e passou seus primeiros segundos no outro mundo extremamente enjoado, o corpo dobrado ao meio com o choque do ar asqueroso. Steve estava parado ao seu lado, espiando em meio à luz fraca, o capacete ainda na cabeça e o visor abaixado, oferecendo proteção contra a atmosfera terrível.

Conforme Finn se recuperava, ele se perguntou para o que Steve estava olhando. Depois, viu dois corpos caídos na vegetação rasteira.

65

Finn e Steve correram para os corpos, jogados em uma clareira entre os juncos espinhentos.

— Fomorianos — disse Steve.

Ele examinou as duas grandes criaturas prostradas, cada uma com uma cicatriz em forma de lua crescente marcada na testa.

— Ainda mais feios do que nos ensinaram. E ainda vivos, parece. Seria muito difícil matá-los de mãos vazias e, por isso, eu diria que seu pai se saiu bem causando todo esse estrago. Supondo que tenha sido ele, é claro.

Finn se levantou e olhou ao redor. Atrás deles, Broonie estava parado ao lado da luz do portal, que parecia muito mais penetrante ali, sua luminosidade contrastando com a quase completa falta de charme de qualquer outro lugar desse mundo.

— É maravilhoso, não é? — disse Broonie com um gritinho agudo e sincero de prazer. — Ah, eu não achei que sentiria tanta falta, mas é tão doce como lesmas.

Ele fez uma dancinha de alegria.

Finn sentiu ânsia e, depois, recompôs-se o suficiente para gritar:

— Pai!

— Não tem ninguém aí — disse Steve. — Não que eu possa ver.

— Mãe!

— Vocês não deviam ficar por aí — alertou Broonie. — Há bandidos por essas estradas e, qualquer que seja o preço que o crânio de um Hogboon possa render como objeto de decoração, vocês não vão querer saber quanto o de um humano valeria.

Ele parou por alguns segundos para avaliar o menino, até dispensar a ideia sombria que se formava em sua mente.

— Não, eu não deveria. Não seria certo. Honra acima da riqueza. Sempre. Embora riqueza *e* honra fossem uma boa...

Ignorando Broonie, Steve juntou sua voz à de Finn e seus gritos se propagaram pela grama pontiaguda até as árvores retorcidas e desfolhadas nos limites da clareira. O campo se estendia para longe deles, subindo um morro, além do qual a terra baixava e depois se inclinava para cima de novo ao pé de montanhas estéreis e ameaçadoras.

— Pai! Mãe!

— Hugo! Clara!

A distância, um berro agudo perfurou o ar poluído.

— Vocês podem gritar quanto quiserem — disse Broonie. — Eu não vou ficar esperando para ver quem responde.

Steve, com a voz ainda abafada pelo visor, inclinou-se para baixo na direção de Finn.

— Eles podem já ter ido embora. E nosso portal não vai continuar aberto por muito mais tempo. Vamos ter que partir logo.

— Não vou a lugar nenhum — disse Finn.

Ele chamou pelos pais de novo, terminando com mais engasgos de ânsia.

Veio outro berro agudo do alto, e mais perto desta vez. Steve apontou o Dissecador para o céu. Uma sombra rapidamente se mexeu através de uma nuvem baixa.

Finn se afastou alguns passos do portal ainda aberto e inclinou a cabeça na direção das montanhas distantes.

— Está ouvindo isso? — perguntou a Steve.

Era um ronco quase imperceptível pelo chão.

— Não estou ouvindo nada, Finn. E nós temos que ir.

A sombra cruzou acima deles. Um chamado agudo atingindo-os através da nuvem. Finn, Steve e Broonie voltaram sua atenção para o céu.

No chão, eles sentiram um tremor muito pequeno.

A ansiedade na voz de Broonie subiu um tom.

— Bem, eu tenho uma cabana para cuidar, então, se me dão licença.

Uma criatura desceu depressa da nuvem. Com forma de serpente, asas cavando pelos ares, ela enrolou o corpo em espiral, mostrou as presas e avançou na direção do isolado Broonie.

O Hogboon gritou e se abaixou, as mãos sobre a cabeça. A boca da serpente alada envolveu a cabeça de Broonie, a pele foi arranhada pela ponta de uma presa.

Fzzzt.

Com um *ruuupf*, a criatura desabou, meio dissecada, a cabeça e uma asa misturadas em uma esfera dura, mas a cauda se contorcendo no chão, cada abanada de sua asa não dissecada curvando-a cada vez mais em um círculo. Broonie espiou pelo espaço entre as mãos enquanto a serpente se esgotava e parava imóvel sobre a vegetação, o portal iluminando seu estado horrendo.

— Interessante — murmurou Steve, baixando sua arma fumegante. — O Dissecador não parece funcionar tão bem aqui.

Finn não o ouviu. Ele estava de novo concentrado no ronco, que ficava mais alto, mais próximo. O tremor cada vez mais forte no chão agora estava formigando na sola das suas botas.

Os cantos brilhantes do portal diminuíram por um instante.

— O portal vai fechar logo — disse Broonie, começando a recuar da cena. — Foi interessante conhecer vocês. Nunca mais vamos fazer isso. Tchau.

Ele saiu correndo em direção à floresta torcida.

Steve agarrou o ombro de Finn e o puxou para o portal.

— Vamos embora.

Finn encolheu os ombros para se soltar. Steve o pegou de novo, arrastando-o para a borda da luz.

— Nós voltaremos para buscá-los, Finn. De alguma forma vamos voltar.

Com a sensação do portal quente contra sua pele, Finn olhou para trás, para o mundo vazio e estéril, fazendo uma promessa silenciosa de voltar. Ele começou a pisar no buraco entre os mundos. E, então, ouviu.

— Finn!

A voz do pai chegou até eles vinda do limite das árvores. Então, duas figuras apareceram. Na escuridão, mal era possível reconhecê-las; eram apenas formas escuras levantando poeira, o braço da mãe de Finn enrolado em volta dos ombros do pai dele enquanto corriam em direção ao filho.

— Pai!

Ele deu alguns saltos para a frente. Steve gritou para ele ficar onde estava.

Hugo e Clara se separaram, ambos concentrados unicamente em Finn, mas, poucos passos depois, a mão de Finn havia ficado para trás. Finn viu que seu pai parou por um momento, agarrou a mão dela e os dois começaram a correr novamente.

A terra tremeu. O movimento subiu pela armadura de Finn, fazendo seu traje vibrar como um chocalho. Ele espiou na direção do morro.

De cima do cume emergiu um exército.

Manticoras e Wolpertingers na frente, Fomorianos gigantes trotando atrás e, entre eles, uma variedade de outras Lendas. Era uma louca massa de formas, galopando, arrastando-se, rosnando, avançando na direção deles.

— Depressa! — gritou Finn o mais alto que pôde.

66

Os pais de Finn correram bastante, seus olhares fixos no portal. Steve disparou uma descarga do seu Dissecador. A rede traçou um arco azul em direção ao morro, mas caiu antes.

Atrás de Finn, o portal gemeu um pouco, começando a implodir.

— Rápido!

Sobre a terra trêmula, o exército corria. À sua frente estavam duas figuras montadas no lombo de bestas enormes, com três chifres e quatro patas. Um dos indivíduos era um gigante e, mesmo àquela distância, Finn conseguia enxergar uma grade cheia de pontas que subia do seu pescoço.

A outra figura parecia insignificante ao lado dele, quase completamente escondida atrás de uma capa com capuz.

Finn observou o pai e a mãe apertarem o passo sobre o solo pedregoso. Steve lançou outro tiro na direção das Lendas que avançavam e, desta vez, a rede caiu sobre as primeiras fileiras, fazendo criaturas se estatelarem no chão. O resto do exército abriu caminho em meio às vítimas e continuou em frente.

Finn ficou parado no precipício do portal.

— Depressa. Depressa!

A luz vacilou de novo, como um prelúdio do fechamento iminente do portal bem quando seus pais chegaram.

Hugo agarrou o Dissecador de Steve, puxou Clara na direção dele e depois empurrou os dois para o portal.

— Acho que tenho que agradecer a você agora — disse ele a Steve.

— Não... Parece que você tinha tudo sob controle aqui — disse Steve antes de segurar o braço de Clara, a luz engolindo-os conforme ambos sumiam para um lugar seguro.

Agora, somente Finn e seu pai estavam no Lado Infestado.

O muro de Lendas vorazes, descarregando palavrões, estava quase em cima deles. Os dois cavaleiros líderes puxaram com força as suas bestas e pararam, enquanto as hordas se forçavam atrás deles. O gigante à frente rosnou por entre os dentes quebrados que contornavam sua máscara, repuxando as cicatrizes que cruzavam seu rosto e segurando no lugar a besta embaixo dele com braços que eram, cada um, mais largos que devia ser o Fomoriano do qual Broonie havia falado. Devia ser Gantrua.

A Lenda manteve contato visual com Finn, como se soubesse exatamente quem era o menino. Nesse momento, Finn soube que aquele devia ser Gantrua.

Ao seu lado, a figura encapuzada se segurava com força contra as arremetidas da sua montaria, o rosto perdido sob o capuz.

Finn recuperou a concentração, parado na borda do portal vacilante.

— Pai, a gente precisa ir! — chamou ele.

Em vez de pular no portal e atravessá-lo, o pai de Finn mirou o Dissecador nos dois líderes dos monstros antes de focar o olhar em apenas um deles. Seu alvo tirou o capuz da cabeça devagar.

Hugo o reconheceu imediatamente e cambaleou para trás. Finn demorou um instante a mais.

A pele do homem — sim, era um homem e não uma Lenda — estava sem cor e terrivelmente marcada; seus olhos eram de um rosa esmaecido, mas traços suficientes do rosto do retrato ainda se mantinham. Hugo baixou a arma, sua boca estava aberta de descrença, enquanto um sorriso contorcido se abria devagar nos lábios enrugados do seu pai.

Niall Linguanegra, o homem que havia tentado conversar com as Lendas e que tinha se dado mal, o pai do pai de Finn, aquele que estava desaparecido, olhou de volta para eles até ser engolido pelo enxame de Lendas que clamava por alcançar os intrusos.

O portal gemeu, Finn gritou para o seu pai se apressar, mas Hugo não se mexeu de início. Em vez disso, manteve os olhos colados no lugar onde Niall estivera antes de as Lendas o engolirem. Ele finalmente se virou para Finn.

— Diga a sua mãe que eu a amo e vou vê-la em breve — gritou ele —, mas tenho que fazer isso.

— Fazer o quê? — perguntou Finn.

— Ir atrás do meu pai.

— Mas...

— Vai ficar tudo bem. Você vai encontrar um caminho, Finn. Você já me mostrou isso. Finn, o Desafiador.

Ele olhou de relance para trás. A muralha vociferante de Lendas estava quase chegando aos dois.

— Ouça, Finn. Tem um mapa em algum lugar. Na sala D3 da casa. Você me ouviu? Ache o mapa.

Ele empurrou o filho através do portal.

A última e distorcida visão que Finn teve do Lado Infestado foi de seu pai se virando e correndo na direção do exército de Lendas.

Ele caiu de costas, o ar acre do Lado Infestado escapando dos seus pulmões. Sua mãe se agachou ao seu lado, tossindo bastante, enquanto Emmie e Steve tentavam ajudá-la. Finn estendeu o braço e tocou na mão dela.

O portal se extinguiu.

Do *Guia Conciso do Mundo dos Caçadores de Lendas*, Vol. 7, Capítulo 42, das notas de rodapé dos parágrafos introdutórios de "O Grande Desagrado".

Depois do desaparecimento de Niall Linguanegra, os Doze fizeram uma investigação completa, mandando uma equipe para Darkmouth e implorando que qualquer um com alguma informação se apresentasse. Em muitos casos, o que emergiu era pouco mais do que fragmentos, pedaços de rumores, meias verdades envoltas em achismos.

Ainda assim, alguns fatos comprovados chegaram a emergir e um relatório abrangente foi compilado, mas ele depois foi queimado por investigadores que decidiram que as consequências de compartilhá-lo seriam catastróficas.

Ao longo dos anos após o evento, houve alguns vazamentos ocasionais que nos permitiram ter alguns vislumbres de compreensão sobre os momentos finais de Niall. Eis o que é conhecido:

Niall estava no local de um portal mesmo antes de ele ser aberto. Seu filho, Hugo, que mal tinha idade suficiente para erguer uma espada, também estava na boca desse portal.

Dizem que, à luz moribunda e trêmula do portal, Niall se ajoelhou ao lado do seu único filho e sussurrou algo breve para ele. Depois, levantou-se, colocou a mão no coração, puxou o capuz por cima da cabeça, deu um passo para trás e permitiu que as mandíbulas do outro mundo o devorassem.

A mensagem que ele compartilhou com o filho ainda não foi revelada, se é que permaneceu na memória de um menino cuja altura ainda não chegava sequer ao ombro de uma Manticora. Conforme o portal sumia, porém, dizem que uma palavra final ecoou através de dois mundos.

"Mapa."

67

A porta se abriu tão de repente que Finn quase se esparramou pelo chão. Ele se endireitou enquanto sua mãe, Emmie e Steve entravam depois dele.

A sala era a D3 — uma sala de depósito no Longo Corredor. Perto da porta que levava à casa principal, era uma porta de madeira grossa, cravejada de rebites de ferro do topo ao chão e com uma grande fechadura de latão. Estava apertada entre a E1, uma sala de equipamentos, e a A2, onde alguns dos arquivos centenários da família eram mantidos.

De resto, não tinha nada marcante. Até mesmo o fato de que nem Finn nem a mãe já tinham entrado nela não era incomum. Havia muitas portas no Longo Corredor. Muitas salas dentro das quais eles nunca haviam pisado.

Steve tentou o interruptor. Uma única lâmpada na sala brilhou, faiscou e morreu.

A sala era estreita, com apenas a fenda de uma janela bem alta na parede, através da qual a luz do luar se derramava sobre o único objeto no espaço vazio: uma mesa alta e estreita na metade da parede à direita.

Na mesa, havia uma caixa marrom de madeira. Finn andou até ela, e os outros o seguiram, a mãe primeiro, porém lenta nos movimentos, com o choque ainda entorpecendo seus sentidos.

Finn examinou a caixa singela, que não tinha entalhes, nenhum desenho, nem mesmo um buraco para a chave, apenas cantos simples e arredondados. A poeira se dispersou dela quando ele a tocou, dançando na luz pálida. Finn passou os dedos pelo contorno da caixa, procurando a tampa. Ao encontrá-la, delicadamente a abriu.

Dentro, havia um pedaço de papel, limpo, dobrado. Finn olhou para a mãe em busca de consentimento para pegá-lo. Exausta, fragilizada, ainda sofrendo por causa da atmosfera do Lado Infestado, ela apenas fez que sim com a cabeça.

Ele pegou o papel entre os dedos, desdobrou com delicadeza. Estava claramente duro por ser velho, frágil, e Finn teve cuidado para não rasgá-lo nas dobras.

Olhou para ele e, depois, de novo, para a mãe; sua incerteza estava clara.

— O que foi? — sussurrou ela.

— Não é um mapa. É uma frase. Apenas uma frase. E nem está com a letra do pai.

— O que ela diz? — perguntou Emmie.

Finn leu em voz alta:

— Ilumine a casa.

68

Eles acenderam cada luz, cada abajur, em cada aposento e em cada canto de todos os aposentos, iluminando a casa no início da manhã antes de o sol se levantar através das janelas.

— Por onde começamos? — perguntou Finn a Emmie. — Onde alguém esconderia um mapa.

— Pelo menos vamos poder faltar na escola hoje — disse Emmie.

O corredor se estendia adiante. Atrás deles, a Biblioteca estava aberta, suas prateleiras indo do chão ao teto, algumas cheias de livros, documentos, rolos e muitas outras esvaziadas das Lendas dissecadas, ainda espalhadas pelo chão apenas horas depois da quase catástrofe.

Na Biblioteca, Steve estava parado em meio aos destroços, examinando as longas curvas de prateleiras enquanto tinha um atlas nas mãos.

— A boa notícia é que há um mapa aqui — disse ele alto para Finn e Emmie. — A má notícia é que há mais, ahn, uns dois mil junto com este.

A mãe de Finn se aproximou pelo Longo Corredor, abrindo a boca para falar quando chegou a eles, mas ficando presa em uma tosse.

— Acho que ainda vai levar alguns dias — disse ela quando enfim limpou a garganta.

— Você precisa descansar, mãe.

— Vou descansar quando encontrarmos o seu pai.

Ela colocou o braço em volta do ombro de Finn e ele se aconchegou nela, esquecendo-se por um momento de ficar com vergonha na frente de Emmie. Sua mãe lhe deu um beijo na cabeça e entrou na Biblioteca.

— Clara, sei que acabamos de nos conhecer — disse Steve —, e pode ser que você não confie em mim de verdade, mas quero que saiba...

— Só vamos encontrar esse mapa, certo?

— Certo.

Emmie inclinou-se para Finn.

— A sua mãe sabe da profecia?

— Não contei para ela. Ela já tem bastante coisa com que se preocupar. Você não deve contar também.

— Meus dias de espionagem já acabaram, eu prometo — disse Emmie.

— Chega de segredos, por favor.

— Concordo. Chega de segredos.

— De acordo — declarou Emmie, com um movimento de cabeça. — A não ser por esse que nós estamos escondendo da sua mãe, é óbvio.

— É óbvio.

Emmie olhou para a fila de portas do Longo Corredor.

— Qual sala nós devemos tentar primeiro?

— Não sei. A mais próxima, eu acho — disse Finn.

— E depois?

— Procurar um padrão, talvez. Qualquer coisa que pareça que pode ser um mapa. Se fosse óbvio, o meu pai teria me dito onde encontrar. Deve estar escondido em algum lugar.

Emmie hesitou.

— Você acha que ele vai ficar bem?

— Acho — respondeu Finn. — Acho mesmo. Até quando ele tinha a nossa idade, ele fazia coisas incríveis, lutava com Lendas com cinco vezes o nosso tamanho. Já contei para você sobre a vez em que ele...?

— Sim.

— E o dia em que ele...?

— Esse também.

— Bem, então você sabe que ele vai ficar bem.

— E o que acontece quando nós encontrarmos o mapa?

— Então nós vamos atrás dele — disse Finn, com mais autoconfiança do que ele realmente sentia.

— Não tenho certeza se vou ser muito útil — disse Emmie.

— Não sei. Eu poderia ensinar alguns movimentos a você. Conhece o Cortador de Membros do MacNeill?

— O membro de quem ele cortou com isso?

— O dele mesmo, na verdade.

Emmie ficou olhando Finn por um momento e, depois, deu um empurrão no ombro dele.

— Eu já disse para você não tentar enganar a menina da cidade grande.

Ela caminhou para a primeira porta e girou a maçaneta. Finn a seguiu.

— Mas é um movimento de verdade, eu juro.

Atrás deles, Niall Linguanegra olhou do seu retrato, a cabeça abaixada, os olhos se recusando a cruzar com os de qualquer um que pudesse observá-lo. Em vez disso, fixo em tinta grossa, ele olhava para baixo, na direção de uma mesa vermelha ao seu lado, sobre a qual estavam espalhados alguns itens: uma bússola, uma pena em um pote de tinta, uma lupa, algumas moedas, alguns livros sem título e um pequeno espelho quadrado, apoiado para ficar em pé.

No espelho, havia o reflexo de um pedaço de papel, que não era maior do que uma impressão digital e, ainda assim, era claro e detalhado, no centro do qual estava pintado — minúsculo, mas muito fácil de identificar — um X.

CONTINUA